pike式

シンプルな習慣で頭と心が

「整う」勉強法

pik ル 著

KADOKAWA

まえがき

皆さんこんにちは、ぴけ（pike チャンネル）です。

動画を見てくださっている方ならお分かりかもしれませんが、僕は、名古屋大学法学部に通う現役大学生（４年生／２０２３年2月時点）です。弁護士を目指して日々勉強に取り組みながら、YouTube を通して、勉強や日常生活の動画を投稿しています。

早速ですが、皆さんは、今、勉強を楽しんでいますか？

きっと、一度でも勉強が好きだと思えた人、面白いと感じた経験がある人は、さほど苦労していないかもしれません。いやいや、それどころか、いつも成績が良くて、どの教科も点数が高くて、何事においても優秀な人も、読者の皆さんの中には多くいらっしゃるかもしれません。

とはいえ、勉強はこれから先もずっと継続していくものです。となれば、たとえどんな天才でも、途中で挫《くじ》けてしまうことはあります。誰にだってやる気が起きなくて、机に向かえない日もあります。もっといえば、勉強が嫌で仕方なくて、全部を投げ出したくなる時がくるかもしれません。

この世には、2種類の人がいます。勉強が好きな人と、勉強が嫌いな人です。

この本を手に取ったということは、あなたはどちらかといえば勉強が好きなのではないでしょうか。もしくは、勉強は嫌いだけど好きになってみたい人、勉強は好きだけど、うまくいかなくて悩んでいる人、この中のいずれかに当てはまるのではないでしょうか。

本書は、そんな皆さんの勉強に、必ずお役に立ちます。僕がこれまでの人生を歩んできて学んだこと、悩んだこと、感じたことを共有することで、誰もが取り組めるようなシンプルな勉強法をぜひ身につけてもらいたいです。この本が皆さんの人生を変える第一歩になれることを、とても嬉しく思います。

だから、この本を閉じるなんて言わずに、もう少し、先を読んでみませんか？

僕は今、司法試験合格を目指して勉強しつつ、YouTubeへの動画投稿や企業とのお仕事、個人ブランドの開発やデザインなど、大学生になるまで、ずっとやりたいと我慢してきたことにようやく挑戦することができて、本当に毎日が幸せです。

しかし、いざやることがいっぱいになると、とにかく多忙になって、ゆっくり心を休める時間がなくなり、自暴自棄《じぼうじき》になってしまうこともありました。当時の自分は、常に頭の中がごちゃごちゃしていて、勉強に集中できなくて、平穏に生活を送る余裕がほとんどありませんでした。

そんな疲れ果てた自分を救ってくれたのが、「頭と心を整理する習慣」でした。

勉強においても仕事においても、自分のマインド（頭と心）が整っていれば、生活が乱れることはありません。そのことに気付き、自分の習慣を見直してからの僕は、より学業に集中することができて、YouTube活動にも注力できるようになり、ほとんどストレスのない生活を送ることができています。かつての自分と比べれば、夢のような生き方です。

受験を控えた中高生だけでなく、僕と同じ大学生や専門学生、さらには社会人の方々など、この世を生きるすべての方に向けて、いつものYouTubeのような「映像」ではなく、一冊の「本」として、大切な内容をお届けします。皆さんの特別な一冊になれるように、時には笑えて、時には泣けるような、優しくて温かい本に仕上げました。

心配はいりません。どこを切り取っても完璧な人間なんてこの世にはいませんし、誰にでも上手くいかないことはあります。これまでの悩みはすべて、あなたのせいではありません。本書と10分ほどの時間があれば、他には何もいりません。

通学や勉強の合間、寝る前のひととき、そんなふとした時間に本書をちらっと読んでいただき、皆さんの人生に役立つ内容をお伝えできたら嬉しいです。そして、陰ながら誰かの人生を支えることができたら、それ以上の幸せはありません。

ぜひ楽しみながらご愛読ください。

pikeチャンネル

CONTENTS

CHAPTER 2

学びと向き合う

CHAPTER 3

学びを伸ばす

CHAPTER 4

学びのアイデア

CHAPTER

5

心の学び

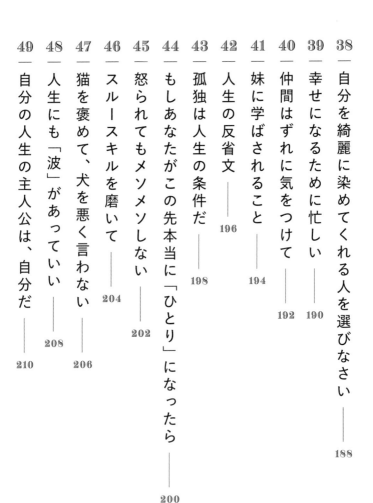

CHAPTER

1

学びの前に

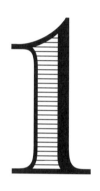

01 シンプルな習慣に価値はあるの？

シンプルにこだわる理由

最初に、なぜ僕がそこまで「シンプル」にこだわるのか、これほど価値を感じているのか、今一度お話しさせてください。決して自慢話ではありません。

僕は数年前まで、ごく普通の大学生でした。毎日が学校とバイトの繰り返しで、朝は必死に自転車を漕《こ》いで、昼は授業をぼんやりと受けます。そして夜は、課題やバイトを終わらせます。平凡に思えて、日々の生活を切り抜けるだけで精一杯でした。

人にはそれぞれ、金銭的な事情はあると思うのですが、僕の大学生活は「手持ち資金3万円・仕送りなし」の状態からスタートしました。奨学金（貸与型）は借金としか考えられず受けなかったので、バイトを3つ掛け持ちし、学費や生活費を自分で賄《まかな》ってきたんです。

このような生活をしていると何が起こるかといいますと、勉強に少しずつ支障が出てきます。たとえば、必要な教科書を買えなかったり、通いたい塾（法律予備校）に通えなかったり、時にはバイト疲れから、過度な眠気や疲労を感じることもありました。

そんな時、ふとSNSを見ると、友人は本当に楽しそうに過ごしていて……。言葉にできない感情が僕の胸を襲いました。わざわざ他人と自分を比べる必要はないかもしれません。ですが、友人だけがキラキラ輝く世界に住んでいて、自分だけが暗闇の中で泣いているような気分になって、とにかく悲しい思いしかありませんでした。

この時の自分を今は**「人生の空白期間」**と呼んでいます。

大学生になったばかりの貴重な時期に、勉強や遊びなど、やりたいことが何もできなかったからです。というより、何もしなかったというほうが正しいかもしれません。当時の僕は何も取り柄《え》がなくて、自分に対して本当に自信がなくて、まさに「空っぽ」で意味のない毎日を過ごしていました。

そんなある日、大学の本屋さんにて、とある一冊の雑誌に出合いました。

そこに書かれていたのは「シンプルな暮らしの特集」というもので、生活の質（QOL）を上げるための工夫がたくさん詰め込まれていました。当時の僕はお金がなかったので、何一つ真似《まね》することはできなかったのですが、「自分もこんな生活ができたらいいな」と想像を膨《ふく》らますだけで、なぜか幸せな気持ちになれたことを今でも鮮明に覚えています。

そこで、まずは小さなことから始めてみました。部屋掃除・洗濯・食器洗いなどの家事を済ませて、雑誌を参考にしながら、収納道具を100均で買い揃えてみました。すると、物が散らかることがなくなって、部屋が広く明るくなって、まるで新しい世界に飛び出すことができたような気がしたんです。そんな小さなことを積み重ねながら、自分なりにシンプルな習慣を身につけて、今のpikeチャンネルが誕生しました。

何より成長したことは、自己管理が上手くできるようになったことでした。それまでの僕は、一日を怠惰に過ごすことが多かったのですが、早寝早起きして、大学の授業もフル単位でこなして、バイト3つの掛け持ちもきちんと継続しました。そんなこんなで、かつては大変だった生活も、いつの間にか楽しいと思えるように変わっていきました。

つまり、「シンプルな習慣」が、僕を救ってくれたんです。

シンプルな習慣を続けてきたからこそ、頭と心が整理できて、より勉強に集中できるようになりました。ただそれだけのことで、他に特別なことはしていません。お金がなくても、時間がなくても、少しずつ頑張れば、人生の空白が充実で溢れ返るようになります。

これから順番に説明していきますので、この本をぜひ最後まで読んでみてください。

最初から気合を入れて、すべてを変える必要はありません。わずか10分でも、たった1回でも取り組んでみれば、シンプルな習慣の効果は得られます。そこに、人生を変えるためのきっかけがあるとすれば、少しは試してみたくはありませんか？

02 — 勉強机を整理しよう

机の上を整理整頓する

僕がまだ中学生だった頃、自分の勉強机を持っていませんでした。そのため、いつもリビングで勉強していたのですが、周囲で騒ぐ家族の声や、テレビの音が気になってしまい、いつしか自分の部屋に勉強机がほしいと思うようになりました。

ところが、いざ勉強机を買ってもらっても、なかなか整理整頓ができず、上手く活用することは難しかったです。せっかく勉強のやる気が起きたのに、探し物のせいで苛立《いらだ》ちや焦りが出始め、集中力を奪われることがありました。

机上にプリントが散らかっていてモチベーションが下がってしまったり、買ったばかりの消しゴムが突然どこかに消えて、またすぐに購入する羽目になったりと、色々と不便なことが起こりがちでした。

そうならないように、改良に改良を重ねた僕が普段から実践している**「今すぐ始められるおすすめ整理術」**について、ご紹介したいと思います。ぜひ一緒に机の上を片付けてみましょう。

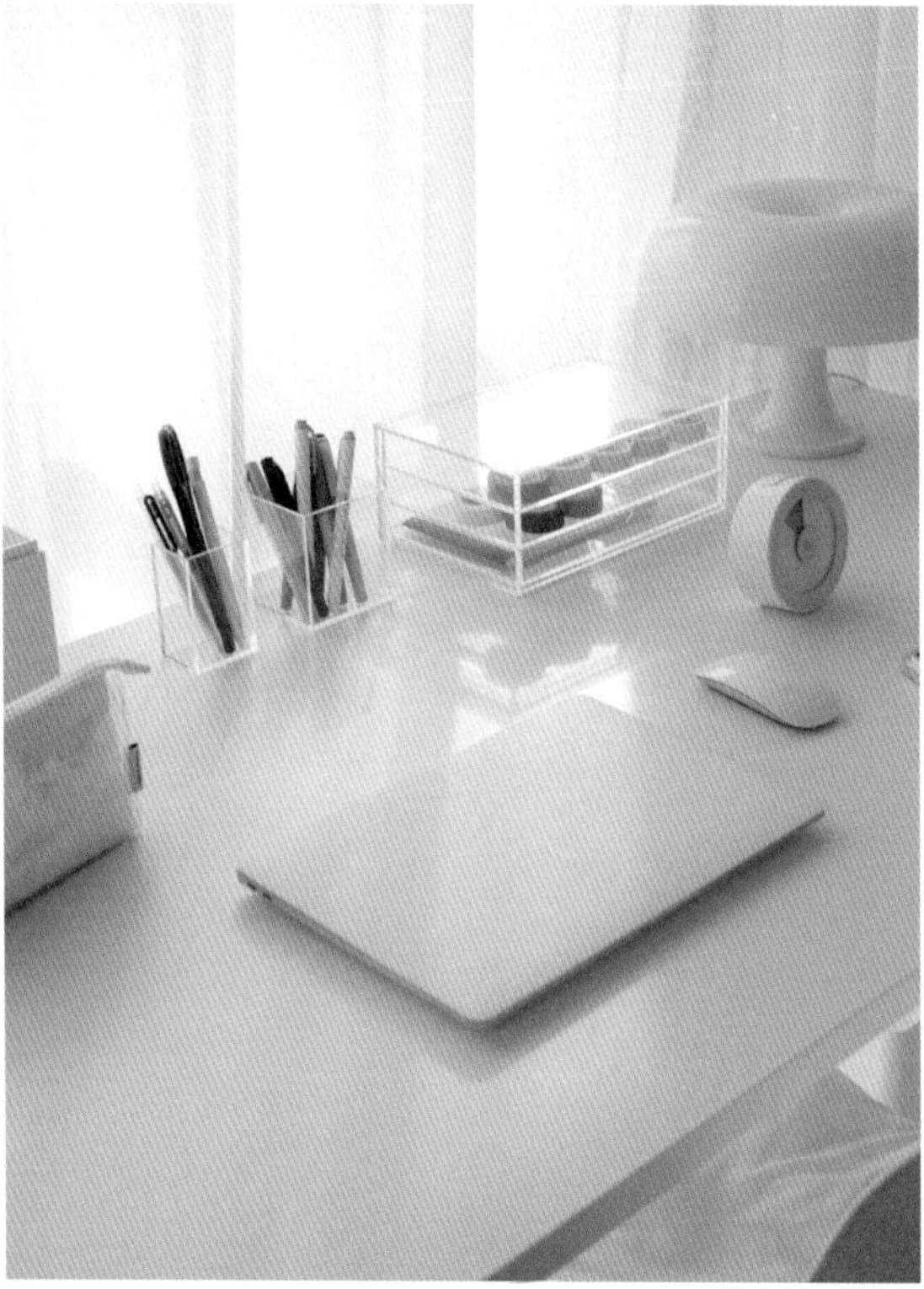

pikeの普段の机の上の様子

物の住所を決めてあげよう

まずは、物の住所（定位置）を決めてあげましょう。住所が決まれば、物をすぐに片付けることができるのはもちろん、物を探すための手間や時間を短縮できます。すぐに勉強を始められ、作業に集中しやすい環境をつくることができます。

よくありがちな一時的にグシャーっと片付けをするだけだと、あっという間にリバウンドをしてしまいます。せっかく片付けても、またすぐに物が散らかるなんてことを繰り返していたらキリがありません。ですから、物の定位置を決めることで「使ったら元に戻すだけ」の状態をつくることができれば、机の上を整理する作業がスムーズになります。

では、実際に、物をどのように配置すれば良いのでしょうか。

これはもう**「見て真似《まね》する」**のが最も効果的で、手っ取り早いです。

たとえば、YouTube・Pinterest・Instagram のアプリで「勉強机」や「部屋紹介」と検索をかければ、自分の好みに合った雰囲気の見本がたくさん出てきます。見た目ばかりを気にするのは良くありませんが、その中で実用性や便利さを兼ね備えた配置を発見することができるか

pikeが決めている「物の住所」

もしれません。

大切なのは、自分が好きで、自分が落ち着けて、自分が勉強に集中できる環境を整えることです。こんな活動をしている僕が言うのもなんですが、あくまで勉強机は、他人に見てもらうためのものではなく、自分が快適に過ごすための場所です。だからこそ、自分が理想に掲げる机を目指して、引き出しや収納トレイ、デスクオーガナイザーを活用して、勉強が楽しくなる環境をつくれるように取り組んでみてください。

片付けは毎日しなくて大丈夫

「勉強机」は、毎日使う場所でもあるため、整理整頓をする習慣づくりが必要不可欠です。とはいえ、学生や社会人の方は毎日が忙しいので、なかなか時間が確保できず、片付けする余裕がないという方もたくさんいらっしゃると思います。だからこそ、**無理して毎日片付ける必要はありません。**

もちろん、できるなら勉強が終わる度に片付けを行うことで、いつ見ても綺麗な状態を保っておきたいですが、そう簡単にいかないこともありますよね。だからこそ、無理してルールを固定するよりも片付けを気楽に習慣づける方が、心がグッと軽くなります。

具体的には、週に一回（毎週○曜日）という形から始めるといいです。

そして慣れてきたら、回数を増やして、片付けの頻度を上げてみましょう。

これは個人的な意見ですが、机周りには、その人の性格や人柄が表れます。

たとえば、学校の職員室に入った時に、ふと先生のデスクを観察してみると「イメージが良い先生であるほど、机の上が整っている」という法則が、高確率で成立すると思うんです。つまり、他人に要領よく見られたり、良い評価を受けたりするには、まずは自分の環境を見直し、綺麗に整えると良いのかもしれません。

忙しくても週に1回は片付けをする

03 ― 収納を楽しもう

収納のコツ

「部屋の乱れは心の乱れ」という言葉があるように、収納は、心を整える方法の一つです。自分の外側にある「部屋」を整えることで、自分の内側にある「心」を整えることができるなんて、まさに一石二鳥で、本来楽しむべき趣味であるはずです。

しかし、世間には収納術にまつわる本が多数出版されているように、「収納」とは意外にも難しく、自分に合った方法を知っていなければ、スムーズに進めることはできません。苦手意識を持っている方もきっと少なくはないでしょう。

そこで、僕が普段から実践している**「今すぐ始められるおすすめ収納術」**について紹介したいと思います。

east pacific trade

そもそも「収納」とは「日用品をいつでも使いやすい状態にしておくこと」をいいます。安易に「ここにしまっておこう」などと空いたスペースに物を詰め込んだり、ただ所狭しと物を散らかしたりすることではありません。

そこで、最初にすべきことが、

①「いつも使う物と使わない物で、持ち物を仕分けすること」です。

たとえば、いつも学校があるのに通学カバンが棚の奥にしまってあると、忙しい朝の時間にサッと取り出すことができず、イライラしてしまう原因になります。生活を便利にするには、日常的に使う物をサッと取り出したり、すぐにしまったりできる収納スタイルを心がけるのが最適です。

一方で、「いつも使わない物」の中には、「今後も一生使わない物」が含まれています。棚の奥底から出てきた物が、大切な思い出が詰まった宝物である場合は無理に捨てる必要はないですが、たまには「これはいらない！」と、胸を張って言える小さな勇気を持っておくと、部屋の片付けはより気楽な作業へと変わっていきます。

ただ、そもそも収納スペースに限界があるというのも正直なところです。

せっかく仕分けできたはずの持ち物をむやみに収納しようとすれば、逆に部屋が収納場所でいっぱいになり、自分の生活空間がどんどん狭くなってしまいます。

そこで、次に心がけるべきことは、

②「生活スペースと収納スペースの『配分』を考えること」です。

部屋にどれだけの物を置くかは人それぞれです。

たとえば、物を部屋いっぱいに置く人を「マキシマリスト」（生活：収納＝1：9）、部屋にほとんど物を置かない人を「ミニマリスト」（生活：収納＝9：1）というように、収納スタイルは自由で変幻自在なものです。

そこで、自分は「どんな空間に住みたいか」「どれくらいの配分で収納スペースをつくりたいのか」を今一度考えてみるといいです。それこそが、自分の生活を見直すことでもあると同時に、より良い暮らしへの第一歩にもなります。好きな収納スタイルを見つけることができれば、その楽しさも実感でき、どんどん整理整頓が得意になり、整理整頓が得意になれば、生活も便利に、よりストレスフリーな生き方ができるようになります。収納の楽しさを知ることこそが、最も大事な収納の秘訣だと僕は考えています。

生活スペースと収納スペースの配分を考えてレイアウトする

そして、次に大切なことは、

③「自分に合った『収納アイテム』を見つけること」です。

収納アイテムは、「収納のため」という機能性はもちろん、それ以上に「インテリア」としての役割を果たします。便利さだけでなく、見た目もかっこよく、かわいらしく仕上げることができれば、それ以上に求める要素は何もありません。

「シンデレラフィット」という言葉もあるように、サイズ感がぴったり合うほど、収納の見た目や印象はより美しく仕上がります。

つまり、一番大切なのは「事前にサイズを測っておくこと」です。買い物に行く前に、棚や引き出しの長さを測っておくと、サイズの合わないアイテムを間違って購入することもなくなりますし、アイテム選びに迷うことも少なくなります。

また、最近の百均やディスカウントショップには、多種多様な収納アイテムがたくさん販売されています。昔は「質がよくない」と言われていたみたいですが、今の時代の販売品は、どれも良質で、かつ、流行りも取り入れられていたりするので本当に素晴らしいですし、とことん活用すべきだと思います。

こうして、自分に合うアイテムとの出合いを繰り返していくうちに、自分なりの収納ルールや工夫を思いついたりするものです。それがまさに「収納の楽しさ」です。

それに限らず、収納を進めるうちに、自分に必要なものとそうでないものがはっきりとしていきます。その結果、物選びも上手になり、買い物で余計なお金を出すことも少なくなります。

もし、収納が本当に苦手なんだ……という方は、まずは収納を「自分のお腹」に代えてイメージしてみると良いです。人はどれだけ美味しい食事を出されても、食べすぎると「お腹いっぱい」になってしまいます。せっかく美味しかったはずの食事も、満腹になると幸せではなくなってしまいます。**だからこそ、何かを増やしたら何かを減らす、そんな「モノ八分目」のイメージで収納を心がけるとすごく楽です。**

無理して一気に変わろうとせず、まずは自分のペースで少しずつ挑戦していきましょう。そして、自分の好きな収納スタイルを楽しく見つけていきましょう。「部屋の乱れは心の乱れ」ではなく、「部屋を片付けると、心がすっきりする」です。大事なのは、そう思える前向きな心です。

収納の3ステップ

①いつも使う物と使わない物で、
持ち物を仕分けする

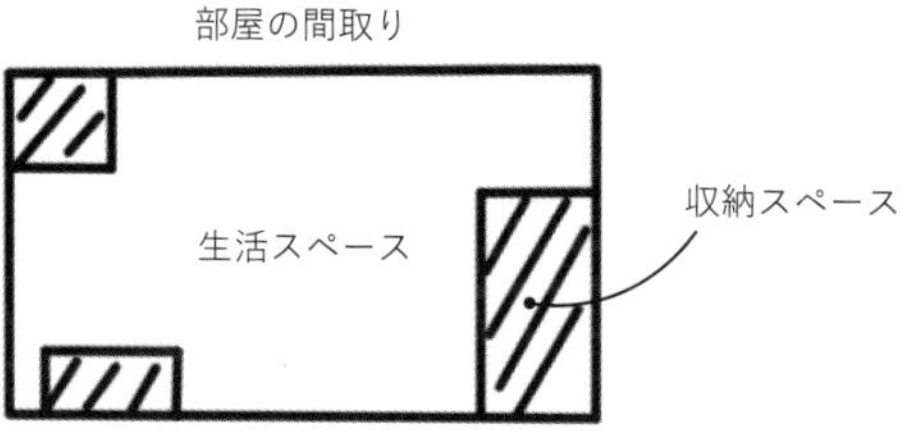

②自分の生活スペースと
収納スペースの「配分」を
考える

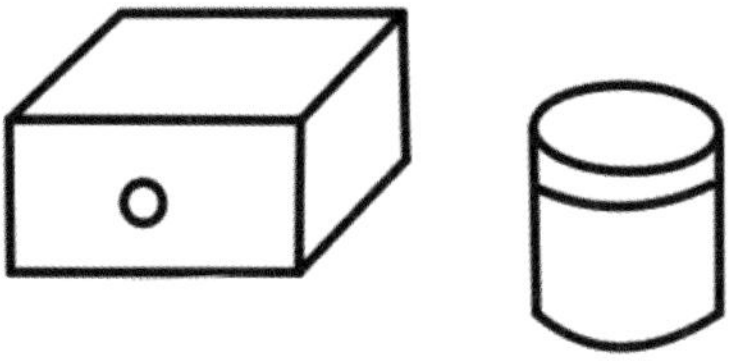

③自分に合った「収納アイテム」
を見つける

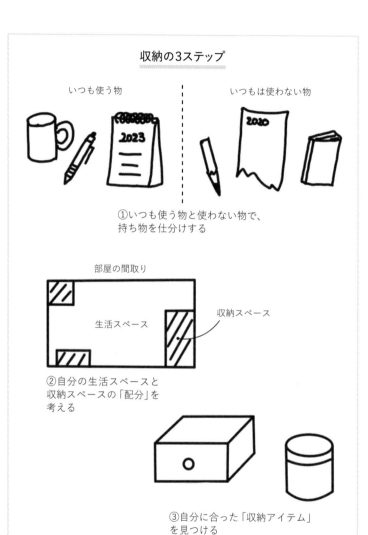

04 インテリアにこだわりを持とう

インテリアは、ラッピングと同じ

僕たちは、「部屋」という大きな箱の中で生活しています。

それは、段ボールのような無機質な箱ではありません。部屋を装飾するのは、ガムテープでも、接着剤でもありません。プレゼントを用意する時のように、装飾やラッピングにこだわることで、インテリアはより楽しいものに変わります。

しかし、インテリアや家具の購入にはかなりのお金がかかります。僕と同じ学生や一人暮らしの方にとって、高価な商品を衝動的に買い続けることは、あまり現実的ではありません。

とはいえ、部屋で過ごすことが楽しくなれば、必然と机に向かうことも楽しくなります。そうなれば、早くひとりで勉強したくなるし、勉強以外の生活もとことん楽しくなります。

そこで今回は、**「おすすめの部屋づくりのポイント」**をご説明します。

「学生にはまだ早い？」「勉強とは無関係？」

いいえ、違います。数ある物の中から自分の好みを厳選することで、自分の本当の好みを知るきっかけになります。インテリアに目を向け、環境を気にすることによって、生活や暮らしが少しずつ豊かになります。インテリアの奥深さを知り、より広い価値観を学ぶことができれば、今まで知らなかった自分の好みを知って、新しい世界に飛び出すことができるかもしれません。

インテリアコーディネーターという職業も存在するように、インテリアについての悩みは「センス」ではなく、「言葉」や「文章」を使って、論理的に解決することができます。ぜひ今後の参考にしてみてください。

家具の色を統一して、開放感を演出しよう

インテリアを考える上で最も大切なのは、部屋に入った時に感じる**「第一印象」**です。この「第一印象」を良くするためには、部屋を広く開放的に見せるのがポイントです。

・色数を少なく、全体に統一感をつくる
・細かいものは見せずに、好きなものだけを見せる
・家具の配置を工夫して、スペースを確保する

など、できることは多くありますが、特に、**「細かいものは見せずに、好きなものだけを見せること」**はとても大切です。多くの方にとっては、極度に片付けすぎると、生活感がゼロになって窮屈さを感じるかもしれません。しかし、いちいち片付ける手間を考えると、やはり細かいものは収納棚にしまっておくのが理想だと思います。

とはいえ、部屋のどこに立っても綺麗に見える部屋なんて存在しません。ですから、「部屋に入った時の見え方」を意識するのがおすすめです。入り口から見渡した時に小さくてなんだかよく分からないものは収納棚の中へしまって、整理整頓されているように見せることができ

れば、全体的にスッキリとした印象をつくることができます。

見せたいものは見せて、見せたくないものは見せない。

意識するのは、ただこれだけです。

細かいものは見えないように収納する

家具の色と合わない物や服は見せない

植物を配置して、部屋の中で自然を感じよう

植物を配置すると、心が癒されます。

部屋の中で自然を感じられると、ストレス軽減やリラックス効果を得ることができて、勉強や仕事の疲れを感じにくくなります。また、植物を育てることで、日当たりや水やりを意識するようになり、自然を大切にする美しい心を磨くことができます。

植物は、有害な細菌や外敵から身を守るために、「フィトンチッド」という物質をつくるのですが、これには消臭や除菌、リラックス効果があります。

とはいえ、植物を育てるのは簡単なことではありません。枯らしてしまうことが続けば、インテリア自体に嫌気が差してしまうかもしれません。そこでおすすめなのは、「ポトス」「モンステラ」「パキラ」などの育てやすい品種を選ぶことです。室内ＯＫで、頻繁な水やりの必要がないため、初心者でも気軽に育てることができます。

植物を育てる余裕がない場合は、「フェイクグリーン（造花）」を部屋に置くだけでも、緑の

癒しは得られます。天然の植物に比べて価格がリーズナブルなうえ、そもそも枯れることがないのでおすすめです。ドライフラワーなどの、すでに経年変化した植物もいいですよね。ヴィンテージ家具に近い効果があるため、味のある雰囲気をつくり出してくれます。新品ばかりの家具を揃えて部屋に深みがない場合、特に有効です。

植物を効果的に配置する

間接照明を置いて「魅せる」雰囲気に

直接照らすのではなく、壁や床、天井などに光を照らすことで、部屋の明るさを確保するための照明が「間接照明」です。

優しく穏やかな光で照らしてくれる「間接照明」には、リラックス効果があるので、勉強机や寝室などゆったりと過ごしたい場所に最適です。また、夜、就寝前に使用することで、質の高い睡眠へと導いてくれる効果も期待でき、目の保養だけでなく、心の保養にもつながります。

間接照明を配置するときのポイントは、パズルの穴を埋めるのと同じように、部屋の明るさが足りない部分や、部屋の寂しさを感じる部分に置いてみることです。間接的な光で空間を照らしてくれるため、眩《まぶ》しくありません。その優しさが、魅せる雰囲気を演出してくれます。

間接照明で部屋に明るさを足す

異彩を放つアイテムで、目を引くポイントをつくろう

インテリアは、常に足し算と引き算の繰り返しの世界です。ここまでは部屋をスッキリと見せるための引き算の工夫を中心に話してきましたが、時には、異彩を放つアイテムを置いて足し算を行うのも楽しいです。

僕が白色のインテリアにこだわる理由は、単純に好きな色であること以上に、好みの付け足しを自由にできる点にあります。人によっては、質素だとか殺風景だとかいう印象を受けるかもしれないのですが、いつでも可変できるからこそ、後からさまざまな色を加えても、統一感を失うことなく、バランスのとれた雰囲気をつくることができます。

ふとした休日に雑貨屋さんに行って、人がつくった変わったインテリアを見ると、いろんな想像が膨らんで面白いです。特に、文脈がある商品（例：デザイナーが○○という想いを込めて手がけた商品）は、すごく魅力的で心がときめくのですが、その分とても高価なので、いつか大人になってから買えたらいいなと期待の羽を広げます。そうやって頭と心を使ってイメージを広げる瞬間にこそ、インテリアの一番の魅力が隠されていると思います。

シンプルな部屋の中で異彩を放つアイテム

05 ─ 自分だけのプレイリストをつくろう

自分だけのプレイリストって？

メリハリのある行動を目指すには**「時間と場所の認識」**が大切とよくいわれます。

たとえば、勉強の集中力を上げたいなら勉強机でゲームや食事をしない。勉強机では、勉強以外のことは一切しない。そうすることで脳が「勉強机＝勉強する場所」と認識するため、そこに座った途端、一気に勉強モードに切り替えることができるようになるという考え方です。その心の切り替えによって、メリハリのある時間の使い方を身につけることができるという、まさに「同じ場所で同じことをすべし」という理論です。

しかし、この考えはあまり現実的ではありません。なぜなら、特に一人暮らしの場合だと、食事も勉強も他のあらゆる作業もすべて一つの机で行うのが通常ですし、なかなか場所的な余裕を持つことはできないからです。

また、「場所によって行動の意識を変える」という方法は、結局のところ、自分の意思の行方を周りの場所に委ねている状態であるため、本当の意味では、自分自身がメリハリ力を持つということにはなっていません。

そこで、おすすめなのが**「時間別にプレイリストをつくる」**という方法です。

朝の時間別プレイリスト

ハミングバード（Nobel Bright）
怪獣の花唄（Vaundy）
Shining One（BE:FIRST）
Soranji（Mrs. GREEN APPLE）
All night（Jordy Searcy）

昼の時間別プレイリスト

ノンフィクション（Saucy Dog）
Always（ENHYPEN）
Brighter（INI）
Wonder（Shawn Mendes）
20'CLOCK（dori）

夕方の時間別プレイリスト

帰ろう（藤井風）
題名のない今日（平井大）
何になりたくて（ロザリーナ）
Blue Diary（Rin音）
Ditto（NewJeans）

夜の時間別プレイリスト

はじまりの日に（iri）
繋いだ手から（back number）
リンジュー・ラヴ（マカロニえんぴつ）
I Still Want Your Love（sam ock）
素晴らしき世界（嵐）

pikeのプレイリストの一部

このように、僕は「朝」「昼」「夕方」「夜」の4つの時間帯に分けて、音楽の再生リストを作成するようにしています。たとえば、朝は通学中にポジティブソングを聴いて、元気を出す。そして昼は、午前の勉強や作業に集中するための幸せな曲。夕方の帰り道では、少し切なくて、感傷的になれる曲。夜は、落ち着く、だけどどこかキラキラする、そんな寝る前にぴったりな曲を聴きます。

こうすることで、**「時間の認識」**がハッキリとできるようになり、一日の時間をより楽しく、メリハリを持って過ごすことができます。もし仮に、自分の意識を場所での切り替えにばかり頼っていると、たとえば、たくさんカフェを利用したり、余計なツールを購入したりで、お金も必要以上にかかってしまいます。

もちろん時には、学校や塾・図書館・自習室など、場所を切り替えることも、勉強や仕事に集中するために必要な行動の一つです。しかし、家に一日中いなければいけないときや生活習慣が乱れてしまったときには、自分で「時間の平衡感覚」を取り戻さなければいけません。そんな時に役立つのが、この「時間別プレイリスト」です。

ちなみに、音楽の「アルバム」については、アーティストの方々がこだわりを持って曲順を決めているそうです。だから「アルバム」を聴くときは、シャッフル再生ではなく、元の順番通りの流れを楽しんでほしいのだそうです。

あなたが作成するプレイリストもまた、それと同じくらい特別に仕上げることができます。**自分が好きな曲を、自分が好きな順番で、自分が好きなシーンに合わせて自由に組み合わせることで「自分だけのプレイリスト」が完成します。**そんなこだわりの強さがまた、音楽を聴く楽しみを色濃くさせます。

06 ― ひとつだけの習慣

「〇〇の習慣をつくりましょう。〇〇を習慣づけましょう。」

このような言葉を見ると、少しおこがましいなと思ってしまいます。なぜなら「習慣」とは、決して簡単に、瞬時に身につくようなものではないからです。たとえ、ふと誰かに言われても、その楽しさや素晴らしさを本人が実感することがない限りは、そう長くは続かず、ただの押し付けという形になってしまいます。

僕自身、日々気をつけたいこと、習慣化したいことがたくさんあります。ところが、さまざまなことに同時に手を出すほどうまくいかず、その結果「三日坊主」になって終わってしまうということが多くありました。

だからこそ、ひとつだけ大切にしている習慣があります。それが**「やることリストを書くこ**

と」です。

「やることリスト」とは、その日にやりたいこと、やらなければいけないことを紙に書き出して一度整理し、達成できた項目にチェックを入れながら、やるべきことを確実に終わらせていく方法のことです。

一日の始まりである朝でも、少し起きるのが遅くなってしまった昼でも、学校から帰ってきた夜でも、何かやることがあるときは、必ず一度リストアップし、その書いた紙を、マスキングテープで壁や机の隅に貼り付けて、やることを必ず「見える化」するように決めています。

こうすることで、課題や作業がスイスイと進むようになります。

あれ？ 自分どうしちゃったの？ と、違和感を抱いてしまうくらいに、今までになかったくらいに、集中できるようになったことをとても強く実感しています。

宿題や課題が残っていても、ゲームや好きなことに手をつけてしまったり、それをしなきゃと分かっていても、なかなかやる気が出なかったり、そんな経験は、誰にでもあると思います。

しかし、やることリストを書くという、たったそのひとつの作業だけで、自分のやると決めた決意が目に見えるようになるのです。

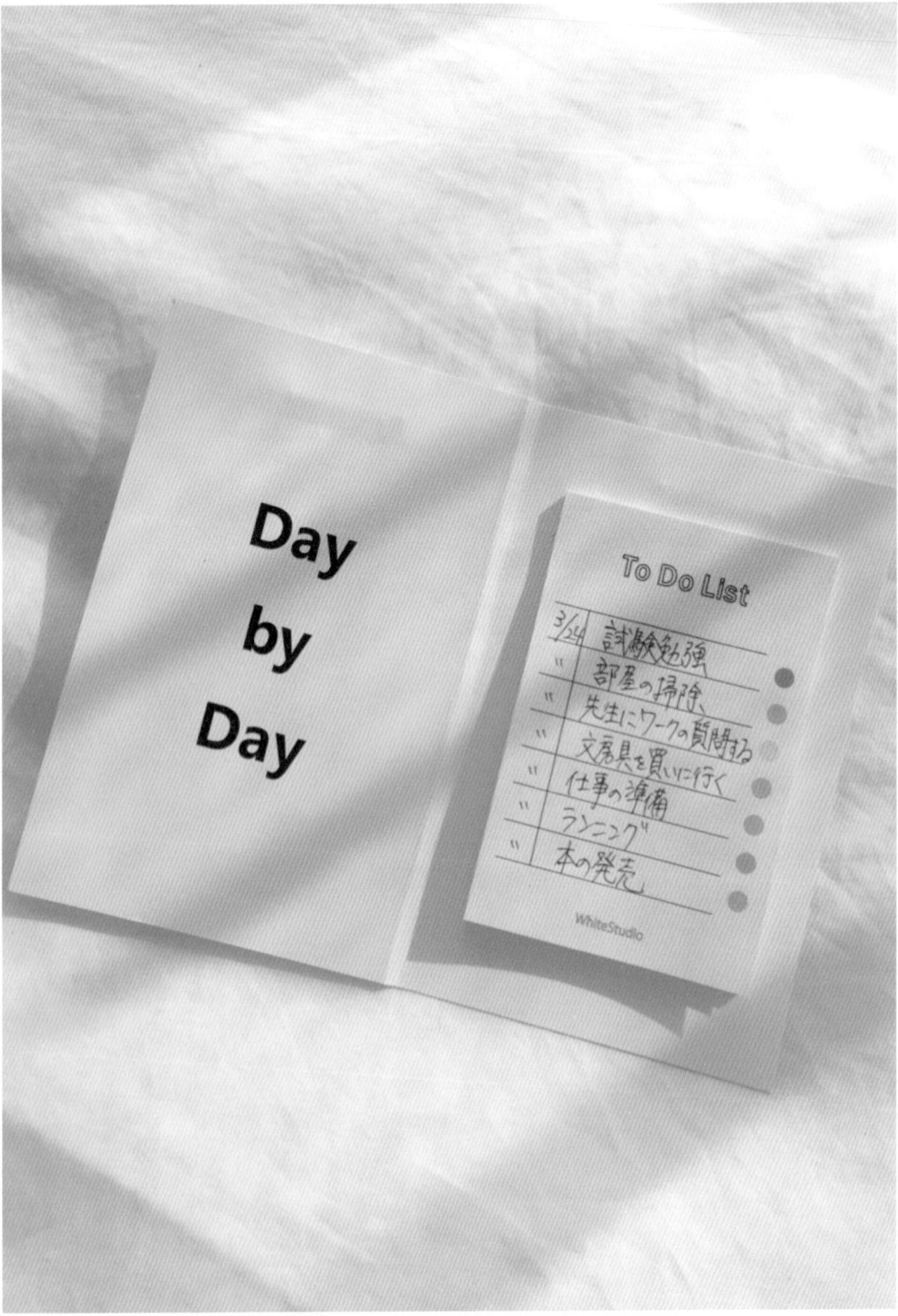

pikeが毎日書いている「やることリスト」

大学の心理学の先生に聞いた話ですが、目に見える決意を裏切ることは、今、目の前にいる彼氏や彼女を裏切るのと同じくらいにモヤモヤとした感覚をもたらすそうです。

心から好きなはずの恋人を裏切るって、すごい矛盾を感じますよね。その矛盾感が自分の中でモヤモヤをつくり、やるべきことを必然と行うように体も動いてしまうそうです。

つまり、やることリストには、書き出したことから自然と目を逸らさない仕組みが溶け込んでいるのです。習慣は、たくさん持つ必要はありません。ひとつ持っているだけで十分に素晴らしいです。そしてそれは誰かに押し付けられるものではなく、自分が大切だと分かって初めて意味があるものです。そんな過程を通して自然と身についていくものです。

僕のひとつだけの習慣は「やることリストを書くこと」です。
なぜなら、今までの人生の中で最高の習慣だと実感したからです。

ぜひ試してみてね、なんてことも言いませんが、胸を張って自慢できる唯一の「習慣」を持つと、自分の生き方に、少しずつ自信が持てるようになります。

自分で決めた「ひとつだけの習慣」は、あなたの生活を充実させてくれること間違いありません。

07 ― 時間と仲良くなろう

朝型人間と夜型人間は、どちらがいいの？

「朝の時間を無駄にするのはもったいない……」と分かっているのに、早起きできないという方は多くいらっしゃると思います。それだけでなく、血圧や体質の関係で、朝がもともと苦手という方も少なくはないですよね。僕もそのうちの一人です。

しかし、「朝の過ごし方でその日が決まる」という言葉は、科学的に証明されている事実です。早起きして最高のスタートを切ることができれば、モチベーションが上がり、有意義な一日を過ごすことができます。

朝起きたばかりの脳の状態は「プラチナタイム」と呼ばれていて、この時にどのような情報を取り込むかで一日の質が左右されます。

だから目が覚めた直後に、SNSを見てネガティブな情報を得てはいけません。「おはよう」と、家族と何気ない挨拶を交わしたり、学校での楽しみを思い浮かべたり、計画を確認したりすることに徹するべきです。朝からポジティブな脳にして、一日をスタートしましょう。

寝る前に、明日の楽しみを考えよう

寝る前に、明日の楽しみを考えておくと、朝起きるのが楽しみになります。

たとえば、昨日買った本を読みたい。美味しい朝食を食べたい。学校の宿題を終わらせてスッキリしたい。これらの「楽しみ」を紙に書き出して、ベッドのそばや机の上といった、すぐ目に付く場所に置いておきます。すると、早起きをする目的が明確になり、毎朝のモチベーションをつくることができます。

当然のことですが、早起きを習慣化している人は、ただなんとなく早起きしているというわけではなく、やりたいことをする時間を確保するという目的があって起きています。つまり、早起きは最終目標ではなく、あくまで手段の一つにすぎません。

早起きの本当の目的は、やりたいことをすることですから、それを最終目標に置けば、早起きすることはただの過程でしかなくなるため、早起きのハードルが一気に低くなります。つまり、**「明日の朝に楽しみなことがあるから早起きしたい」**という心理状態をつくることができれば、毎日をスムーズに起きることはかなり簡単になります。

人間は通常、朝に起きて昼に活動し、夜に眠るという24時間（〜25時間）で一日を生活するリズムを持っています。いわゆる「体内時計（サーカディアンリズム）」と呼ばれるもので、日光を浴びると、このリズムは一度リセットされて一定に保たれるような仕組みになっています。

しかし、不規則な生活が続くとこのリズムが崩れてしまい、時間と仲良くなるどころか、すれ違いが生じてしまうので、体内時計を意識した生活をしましょう。

寝る前に、必ずストレッチをしよう

これは、ぜひとも取り入れてほしい習慣です。なぜならストレッチには、体をほぐして緊張を和らげるというヒーリング効果があるからです。この効果は、毎日を忙しく、頑張り続けている人ほど、大きく効きます。

ストレッチをして体を軽くすることで睡眠の質が上がるだけでなく、翌朝もさっと体を起こしやすくなります。勉強や仕事で長時間机に座っている人ほど、肩や腰に疲れがたまりやすいですし、重力で血液が下半身に溜まり、特にふくらはぎはむくみやすくなります。この辺りを重点的に、マッサージでケアしてあげるといいです。

大切なのは、「ストレッチをする＝寝る準備」と脳と体に認識させてあげることです。これさえ続けていれば、ストレッチをするだけで自然と眠くなるという小さなナイトルーティンが完成します。この小さな習慣が秘める効果は、目に見えないだけで相当に絶大です。

08 ― 香りにこだわってみよう

目に見えない美しさを楽しもう

皆さんは、どのような香りが好きですか。

香りが美しい理由は、目に見えないからです。目をつむっても、手で視界を覆っても感じることができるのは、香りにしかない唯一の美しさです。外見や見た目の美しさを求める世界にうんざりしている人々がいるとするなら、この無形の美ほど癒しになるものはありません。

香りと出来事は強く結びついています。好きな人の香りを脳が覚えるように、香りは深く心の記憶に残ります。いくら栄養価が高くても、香りがない食べ物は美味しいとは感じられません。どれだけ素敵なカフェのコーヒーでも、香りなしでは味気ない物になってしまいます。だから、人生でも、香りをおろそかにしてはいけません。

サシェやアロマで部屋を良い香りに

香りを楽しめる場所は、外だけではありません。家の中でも十分に楽しめます。

おすすめなのは、香料ビーズをメッシュ袋に入れて部屋にぶら下げておく方法です。僕は部屋の壁やドアにぶら下げて飾ったり、トイレの香り道具として配置したりして、フル活用しています。

アロマオイルやキャンドルは、いざ使ってみると暮らしの必需品になります。絶対的に必要ではないけれど、もし「そんなのいらない」なんていう人がいるなら、香りの楽しみを味わった経験がないだけで、人間は誰しもここに癒しを求めることができると思っています。

香りに敏感になることは、気分を整えることになります。まさに、自分の気分を調整するための道具です。そして、香りはずっとあなたのそばに居続ける最高の友達です。

香りとの出合い方

人は、自分に身近な香りに対して好感を抱きますが、逆に馴染《なじ》みのない香りには嫌悪感を抱いてしまいます。だから、刺激が強すぎたり甘すぎたりする香りは、多くの人に好印象を与えるわけではなく、自己満足の香りで終わってしまいます。

時々、強烈な香りを身にまとった人に出会うことがありますが、あれは本人がそこまでして香りを強調したいというよりは、鼻が香りに慣れてしまって、その過剰さに気付いていないのだと思います。

とはいえ、たとえどれだけ自分が満足できる香りをつけるにしても、周りの人たちが良い気分になれないと、主張が強すぎる不快な香りになりかねないです。だから、お気に入りの香水と出合うためには、「周りの人を喜ばせられるか」という目線が大切だと思っています。

香料ビーズを入れたメッシュ袋を壁にぶら下げている

09 ― 人生を変えたスマホの数行日記

僕は大学生になった頃から、毎日ずっと「数行日記」というものをつけています。いわゆる「一行日記」の強化版みたいなもので、年数や日付を書いて、その日にふと感じたことや思い浮かんだことをスマホのメモ帳に記録しています。

正直なところ、僕は大学生になってから、あまり人との付き合いに馴染めないことが多くて、人間関係に悩んだことがありました。その中で、「どうして自分は大学生活を楽しめていないのかな」とか、「どうすれば周囲と楽しめるように変われるのかな」と、頭の中で深く考えて、自問自答を毎日のように繰り返していました。

ただ、自問自答ばかりを続けて、思考を脳に溜め込んでばかりいると、いつか頭がパンクしてしまいそうな気がしたので、とにかく気持ちを発散することで、少しずつ楽になれるのかなと思い、「数行日記」を始めたのが、最初のきっかけでした。

すると、たとえば一日の感想を書くときに、「○年○月○日」という年数や日時をつけることによって、「自分が、いつ、どこで、どのような気持ちになったのか」という心の形跡が目に見えるようになったんです。そうやって、自分の気持ちを「見える化」することによって、頭と心を整理することが得意になりました。

せっかくの機会なので、中身を少しお見せしたいと思います。

2020年5月1日（金）
バイトで料理を床に落としてしまって、店長に怒られた。あれだけ失敗しないよう自分でも注意していたのに、やっぱり失敗してしまった。ああ、またあそこに必ず戻らないといけないと思うと憂鬱《ゆううつ》だ。また失敗を繰り返しそうだな。いや、勇気を出せ。とことん、失敗を取り返せばいいんだ。名誉挽回《めいよばんかい》のために頑張るぞ。

2021年4月1日（木）
一日もしくは一週間が、勉強や仕事だけで終結しないように、きちんと楽しみを作って、そこに向かって頑張るぞ！ という気持ちがあるから、毎日も楽しくなる。ONの時間も

OFFの時間も楽しもう。

2021年12月20日（月）
たとえつらいことがあっても、ここは愚痴を書く場所にしないと決めた。ネットの掲示板じゃないからね。未来の自分が読み返すためにあるのだから、見て良い気持ちになれるような文章を書き残そう。自分の生きた形跡が、素敵な言葉で埋め尽くされますように。

2022年10月23日（日）
時間は何かをしてこそ意味をつくるわけではないから、何もしない時間があっても良いし、そんな時間もかっこいいと感じた。本当に大切なのは、自分の心が満たされるような時間を過ごすこと。今の自分に必要なのは、何もしないでゆっくり休める時間だ。ああ、まだお昼だけど、おやすみなさい。

2023年1月11日（水）
人生で初めてスペイン料理屋に行ってきた。なぜなら、本格的なパエリアを食べてみたかったからだ。心を躍らせていざ実食してみると、海鮮の出汁が効いていてすごく美味しかった。でも、なんで急にスペイン料理？　今思えばよく分からない。まあこんな楽天的な日があってもいいよ。人生は、思いのままに。

問題点は、スマホを紛失してしまうと致命的ということです。スマホの中に、これまでの人生の記録がすべて残されているわけなので、それを失ってしまえば、過去を見返すことができなくなってしまいます。ですから、かつては紙に書くように変えられないかなと試行錯誤したのですが、僕には無理でした。スマホだからこそ継続できた習慣だったのです。

こうして、自分の生きる意味を形にしていたからこそ、当時の僕は、生きることができました。数行日記を通して、自分ときちんと向き合えば、未来に期待することができるし、過去を振り返ることもできます。おすすめの習慣なので、ぜひ皆さんにも試してみてほしいです。

人生の運転には、
立ち止まることも必要だ。

たまにはブレーキを踏もう。

CHAPTER

2

学びと向き合う

10 — 勉強する理由

どうして勉強をする必要があるの？

誰しもが、人生で一度は、このように考えた経験があるのではないでしょうか。
そんな「勉強する理由」について、僕が感じることは次の通りです。

まず、勉強することで、よりよい学校に進めば進むほど、自分の周りに優秀な人ばかりが集まります。自分にとって、尊敬できるような人が周りに集まると、日々のモチベーションへとつながり、自分の成長のために欠かせない栄養剤となります。

もしかすると、学校で出会った友人が、将来のビジネスパートナーになるかもしれません。学校で出会った素敵な恋人が、将来の結婚相手になるかもしれません。出会いや経験はすべて「一期一会」であり、そこには必ず「勉強」や「学び」というプロセスが溶け込んでいます。

また、学生は勉強を通して、良くも悪くも「成功」と「失敗」の経験を繰り返すことになります。

僕は、高校一年生の最初のテストで赤点を取りかけたことがあります。しかし、高校三年生になって、いざ受験に挑戦する頃には、私立大学を受験せずして、現在通う大学に合格できたことは、大きな成功体験になりました。この経験は現在の僕にとっての揺るぎない自信につながっています。

どんなに大きな失敗があっても、それは必ず次のステップへ進む「糧《かて》」となります。だから、本当の意味で言うと「失敗」ではないのかもしれません。「成功」であろうと、「失敗」であろうと、勉強を通じて得られる経験は、僕たちが生きていく上での大切な思い出や、青春をつくってくれるというわけです。

11 勉強のモチベーションを上げよう

おそらく、今ここを読んでいる皆さんの中には、「早く勉強法を教えてくれ」と思っている方もいらっしゃると思います。ここまでの説明はあくまで勉強の前段階についてのお話で、勉強法そのものについて教える内容ではなかったからです。

しかし、いずれ勉強していくうちに、大変さを感じることがあるかもしれません。

そのため、この章を飛ばしていただいてもいいのですが、**もし今後勉強がつらくなったら、ぜひここに戻ってきてほしいのです。**この章の内容は、勉強以外のことにも通じる「やる気」についての内容です。だから、いつかやる気が下がって、自分を奮い立たせたくなったら、この章を見返していただけると嬉しいです。

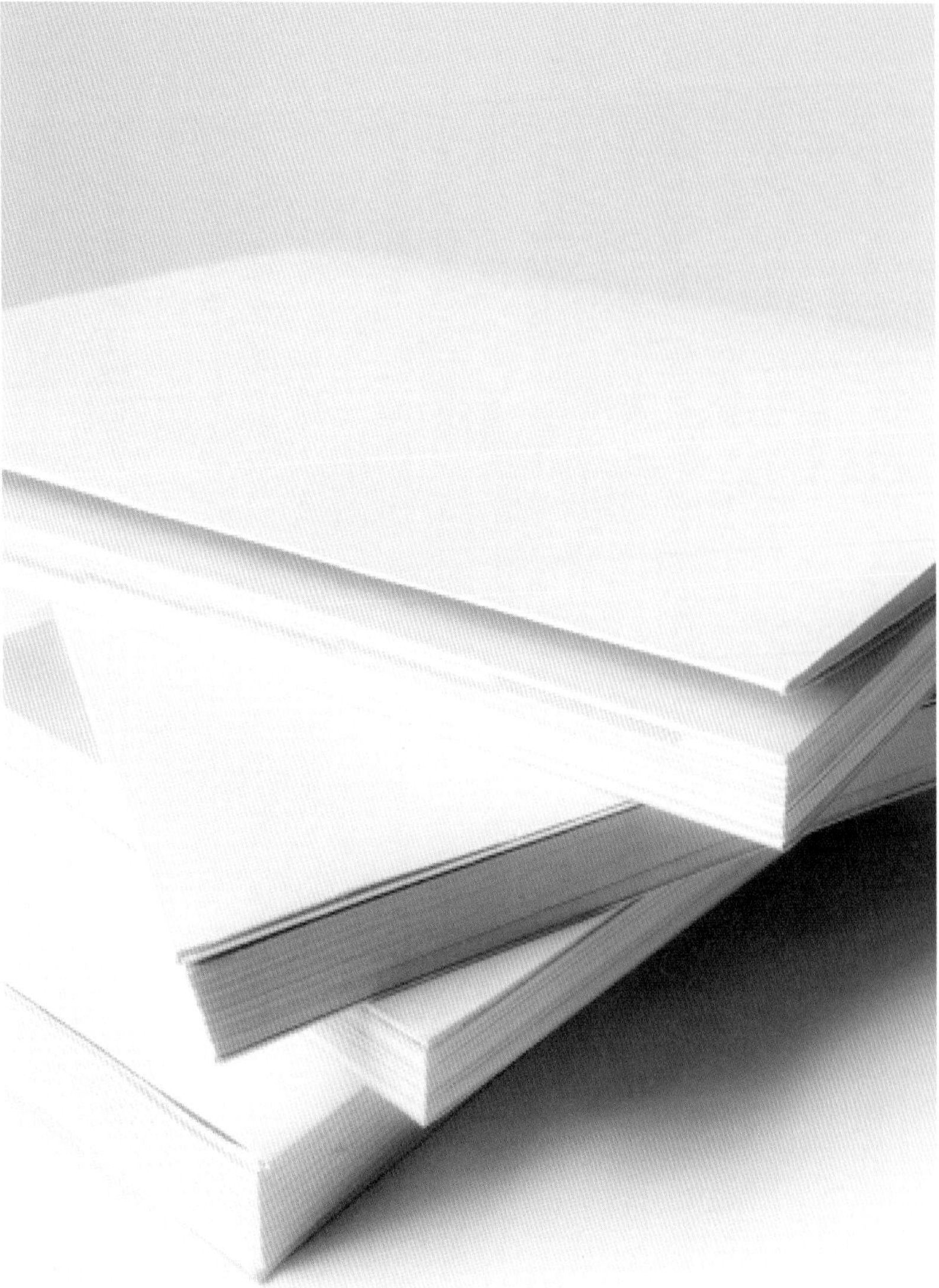

やる気は、行動しないと出てこない

ある東大の教授は、「やる気を出すための方法について考える時間ほど無駄なものはない」「やる気という言葉はやる気のない人間によって創作された『虚構（うそ）』である」と表現しました。

科学的な話をすると、人間の「やる気」は、脳内で分泌される「ドーパミン」というホルモンによって引き起こされます。この「ドーパミン」が分泌されるのは、脳の「側坐核《そくざかく》」と呼ばれる部分で、実はこの「側坐核」が活性化されるには、**実際に行動を起こさなければいけない**ということが脳科学の実験ですでに証明されています。

つまり、「このゲームを1時間やってから勉強しよう」とか「とりあえずベッドで横になってスマホを見てから勉強を始めよう」と後回しにしていても、側坐核は一向に活性化されることはありません。その結果「ドーパミン」も分泌されることはありませんから、やる気を出すどころか、いつまでたっても怠けモードから抜け出せない状態に陥ってしまうのです。

そのため、もし、あなたが本当にやる気を出したいのであれば、とりあえず机に向かって、教科書を開くとか、筆箱からペンを取り出すなどの小さな行動を起こす必要があります。つまり、この「ワンアクション」を起こせるかどうかが勝負の分かれ目ということです。

まずは1秒でも良いので、行動に移さない限りは本当に何も始まりません。

大切なことなので、もう一度いいます。

行動することでしかやる気を引き出すことはできません。

まずは、口に出してみよう

一方で、僕はこの脳科学の結論が優しくないなと感じました。

だって考えてみてください。やる気について困っている人は、その「ワンアクション」を起こすことに困っているからです。これが正直な本音でしょう。

多くの方は「やる気」と「モチベーション」を混同して使っているのではないでしょうか。先ほどの例のように、ゲームやスマホなど、自分の趣味や娯楽を勉強より優先させてしまうことは、誰にでもよくあることです。この時点ではもうすでに「勉強ができたらいいな」と考えている分、やる気を持ち合わせているので十分に偉いと思います。

ですが、「すぐに動ける人」の特徴としては、自分の優先順位を考えて行動できる人が大半です。**つまり、「やる気」をきちんと「モチベーション」に置き換えないと、あなたの意志はすべて水の泡になってしまいます。**ゲームをとことん楽しみたいなら、さっさと課題を終わらせる。好きなことをしたいなら、やることを早めに済ませてしまう。観たいドラマの放送時間まで、部屋の片付けをして備える。

その過程で、「勉強→ご褒美」「仕事→楽しみ」の流れが固定化されると、「気付いた時にはもうすでに勉強を始めている……！　自分偉い……！」という心理体験がどんどん当たり前になっていきます。そうやってやることを先に済ませるのが自然になると、

「自分はこんなことまでできるんだ」「最低限でも、ここまでやれてしまうんだ」

と、自分の新たな成長がどんどん嬉しくなります。そんなポジティブな思考が続くと、勉強と遊びの両立がどんどん楽しくなり、学業もプライベートも、幸せで充実したものになっていきます。

もうこの時点で、あなたのやる気はより良い方向に向かっています。ここで一度本を閉じ、やりたいことを早速始めてみてもいいかもしれません。あなたのやる気すべてが、より価値の大きなものへと変わりますように。

12 勉強の成長曲線を知っておこう

「もうすぐ受験生になるけど、何をすれば良いか分からない」
「周りはどんどん成績が伸びているのに、私は追いつくことができない」
「ただひとり私だけ、スタートラインに取り残されている」

このような悩みが続くと、すべてを投げ出したくなりますよね。だけど、もしあなたが今すぐに諦めようとしているのなら、全部あなたの勘違いです。

左のページのグラフを見てください。これは、「学習の成長曲線」と呼ばれるグラフです。

成績とは、時間に比例して直線的に伸びていくのではなく、最初は低い状態が続いて、ある時期から急に曲線状に上がっていきます。つまり、最初の時期は、すぐに結果が出ないことが当然なので、それを理由に深く落ち込む必要はないのです。

学習の成長曲線

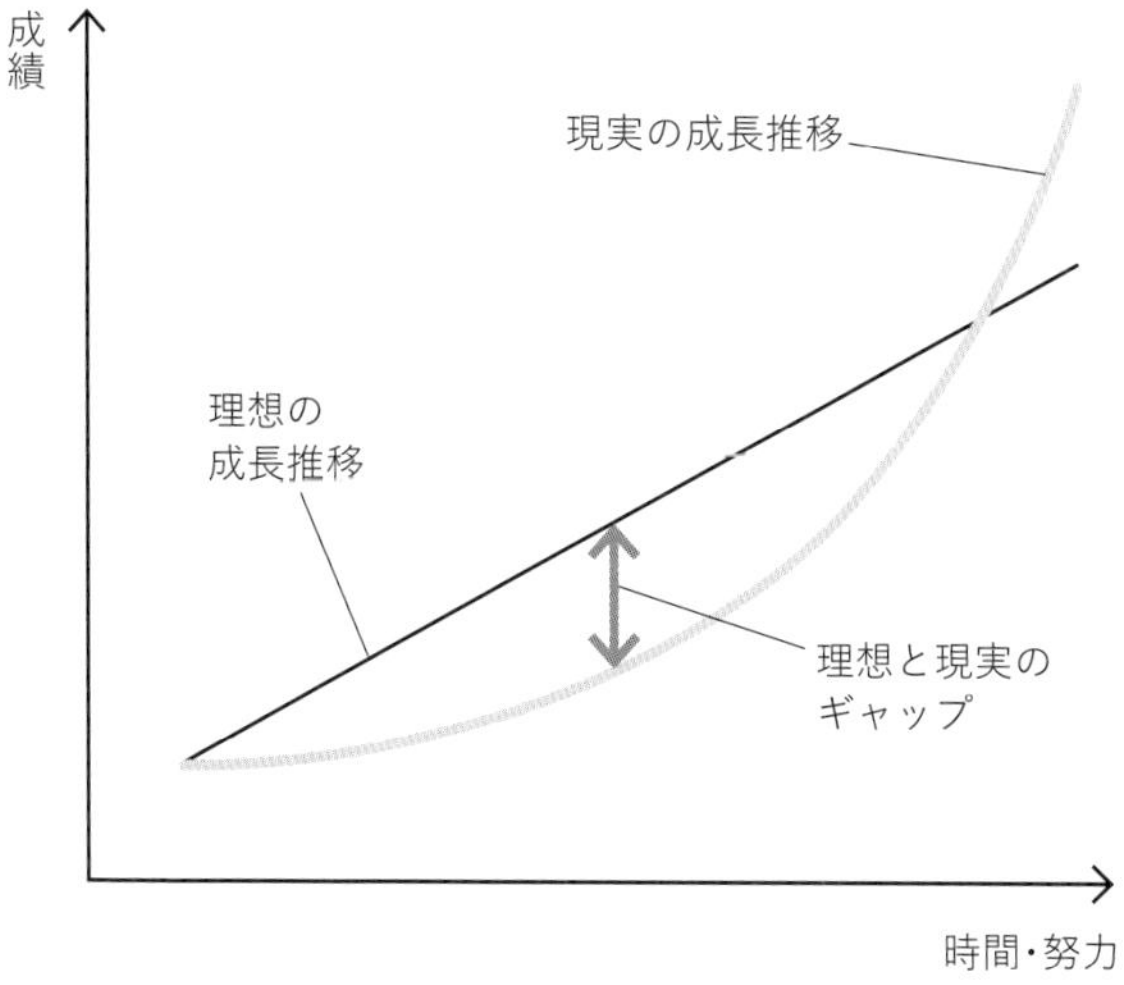

しばらく低い状態が続くが、ある時期から急激に成績が向上するのが分かる

僕もまさにこの線をたどるような受験生活でした。高3の夏にサッカー部を引退して、志望校を決定して、受験勉強を始めましたが、すぐに結果が出たことは一度もありません。ですが、きちんと計画を立てて、毎日少しずつ着実に勉強を続けていくことで、徐々に結果が見えてくるようになりました。実際に成績が伸び始めたのは、秋頃でした。だいぶ遅咲きのように思えますが、周りの皆も同じ様子でした。

受験生の多くは、成績が直線的に伸びるものだと思い込んでしまうことが多く、いくら努力してもすぐに成績が伸びないという現実に悩んで、勉強のやる気を損ねてしまうことが多いです。

安心してください。あなたはスタートラインに置いてきぼりにされたわけではありません。余裕を演じている友達も自分のペースで必死に走り続けています。ここで一度心を落ち着けて、少しずつ自分のやることを進めていきましょう。そうすれば必ずゴールが見えてきます。

CHAPTER

3

学びを伸ばす

13 ― 5教科の勉強法

はじめに

この章では、具体的な「5教科の勉強法」についてご説明したいと思います。

あくまで定期テストの話ですが、僕は高校在学中に「学年400人中1位」という成績を取り続けることができました。とはいえ、最初からこのような成績を取れていたわけではなく、入学して最初のテストは平凡な成績しか取れなくて、苦手な教科に関しては、ほとんど赤点に近い点数でした。自分では勉強したつもりなのに、思うような成果が出ず、どうしたらよいのか分からない状態に直面しました。

それでも、自分なりに勉強法を試行錯誤することで、少しずつ「点数を取るために必要なこと」が分かってきました。特に、当時はサッカー部の部長を務めていたこともあって、学生生活の限られた時間の中で、どうすれば効率良く勉強できるのかということは常に意識していました。その経験を通して学んだことを、ここにまとめたいと思います。

ご存知の方もいらっしゃると思いますが、すでに僕のYouTubeチャンネルでは「学年400人中1位を取り続けた勉強法とは？」というタイトルで、勉強法についての動画が投稿されています。これにはたくさんの反響をいただきましたが、あくまで視聴者さんに内容が伝わりやすいように、簡単にまとめたものにすぎませんでした。

そこで、本書ではより詳しく丁寧にまとめます。誰にとっても役に立つ内容にするために、定期テスト対策を中心とした、僕なりの勉強法のまとめと、各科目のおすすめの教材を書いておきました。

さらに、志望校によっては「小論文」が受験科目で課されることもあります。一応ですが、僕は小論文について圧倒的な自信があるので、これについても追加でまとめておきました。小論文の書き方に悩んでいる方に、少しでも助言ができたら嬉しいです。

ぜひ、今後の参考にしてみてください。

14 ― 国語

皆さんもご存知の通り、国語は正解を一つに定めにくい教科です。

数学や英語と比べて答えが定めにくいのはもちろんのこと、自分のさじ加減で文章を読み解いていかなければいけないので、その分、点数や成績も安定しにくいです。

特に高校生になれば、国語は「現代文・古文・漢文」の3つに内容が分かれるかと思います。そこで今回は、これら3つに内容を分けた上で、それぞれの勉強法についてお話ししていきたいと思います。

現代文

(1) 音読の時間に「漢字」と「接続詞」に印付けしよう

現代文の授業では、最初に教科書を音読する時間があると思います。その音読の際に、皆さんは何をしているでしょうか。みんなと一緒にただ文章を読み上げるだけの時間を過ごしてはいないでしょうか。

僕の場合はそうではなく、自分が「読めないな、書けないな」と思った「漢字」や「文頭の接続詞」に印をつけながら音読を行います。なぜなら、現代文のテストでは、最初の基本問題で漢字や接続詞の穴埋め問題を聞かれることが多いからです。

だからこそ、音読の時間で、漢字や接続詞に印をつけておくことで、テストで基本問題を解く準備をしておくことができます。また、手を動かすことで、少し退屈な国語の授業でも睡眠防止につながります。早いうちから、テストに備えてできることをしておくと、テスト期間中の勉強が楽になります。

国語の授業は、長い文章と単調な内容が続いて、先生の話にも飽きを感じやすくなりがちです。しかし、先ほどに述べたような「自分なりの作業」を授業に取り込むことで、授業中でも眠くなりにくい「睡気防止」の効果が期待できます。

⑵ 脚注の問題を解いておこう

現代文の定期テストでは、主に次の3つの項目で問題が出題されます。

①新出漢字＋接続詞の穴埋め問題
②授業で先生が取り扱った読解問題
③教科書の脚注の問題

①と②は、授業中や課題で扱われ、かつ答えを先生が解説してくれることから、サッと確認を終えて、本番では取りこぼさないように気を付けましょう。

ここで、注目しておきたいのが、③の教科書の脚注の問題です。実は、定期テストではこの脚注の問題からよく出題されやすいです。意外とみんなが見落としがちな問題だからこそ、この問題を解いて答えを理解しておくだけでも、大きな差をつけることができます。

古文

(1) 古文単語はふざけて覚えよう

まず、単語が分からないと文章も読めないわけですから、「古文単語」の暗記が必要となるわけですが、そもそも古文単語は現代では使われていない昔の言葉であるため、無理に覚えようとすると行き詰まってしまうことも当然あります。

そこで、「ふざけて覚える」という方法をおすすめします。

たとえば、「つらい」という意味の「憂し（うし）」という単語の場合、「憂し（牛）はつらい」とふざけて覚えるなど、遊び心のある覚え方を取り入れることです。

このような工夫は、「ゴロで覚える」系の古文単語帳に書かれており、すでに知っているという方も多いかと思います。古文だけに限らず、英単語や暗記科目の内容などもすべて、時にはこのようにふざけて楽しく覚えるという工夫が非常に効果的になることがあります。勉強だからといって生真面目にこなそうとするのではなく、臨機応変に自分なりのユーモアを交えて覚えていきましょう。

ゴロで覚える古文単語例

古文単語	ゴロの覚え方
あさまし	朝マシだったのに……驚きあきれて、情けない
うつくし	う！ツクシはかわいいし、愛らしい
うるはし	うるはしの君はきちんとしていて、隙がない
くちおし	口をシーっとされて、残念で、つまらない
つとめて	翌朝の朝早くから勤めて！
なめし	こんなメシ、殿様に失礼だよ！
はしたなし	走ったのナシにするなんて中途半端で、みっともない
めざまし	めざましい活躍は立派だけど気に食わない

⑵ 要領よく授業の予習をしよう

次に、予習や授業の中で行う「現代語訳」や「品詞分解」、「文章問題」についてですが、特に予習は自分の力だけで進めようとすると、どうしても分からない内容に出合ってしまうことがあります。そこで、最もおすすめなのが、インターネットの「マナペディア」というサイトです。「マナペディア」とは、中学校・高校で学ぶ教育内容を共有するサイトです。いわば、学びのためのウィキペディアみたいなサイトです。

そもそも「ウィキペディア」に書かれていることは、見知らぬ誰かが勝手に書き込んだ情報のため、大学のレポート課題などではそこに書かれていることを引用して使うことは禁止されています。

一方で、「マナペディア」に書かれていることは、見知らぬ他者が書き込んだ情報とはいえ、予習の段階で使用することはまったく問題がありません。むしろ知らずに使わないほうがもったいないです。仮に、すべてをそのまま利用しなくとも、部分的に参考にするのも良いです。

僕は何度も「マナペディア」を活用してきましたが、内容について間違っていたことはほとんどありません。結局のところは、授業の時に本当の答えを確認することができますから、先生の指導に従いつつ、もし内容が違っても修正すればいいだけです。使うべきものは惜しみなく貪欲に使っていきましょう。

また、これは「古文」だけでなく「現代文」や「漢文」も含め、他の科目でも使えることがあります。特に国語の予習の時には絶対使った方がいいです。最高の時短になります。ぜひ一度試しに勉強に活用してみてください。

(3) 脚注の問題を解いておこう

これは現代文と同じです。

脚注の問題、もしくは先生が授業で出題してきた問題などはテストでも出題されることが多いです。ここでも「マナペディア」やネット知識が役に立つことがあります。一度調べて、自分の解答と比較する、もしくは、先生に直接質問にいくのもありかと思います。

漢文

漢文では、次の3つのステップでテスト対策をします。

(1) 白文と書き下し文を予習する

(2) レ点や一・二点の位置を確認する

(3) どの文章にどの文法が使われているのかをチェックする（再読文字・否定・反語）

ここでも現代文や古文と同様、学校の授業中にできることをしておくとよいです。たとえば、音読時間に分からない単語の意味を調べて教科書やノートに書き込んでおいたり、レ点や一・二点の位置に印をつけておいたり。また、予習段階ではもちろん「マナペディア」を使えば、時短かつ効率的に課題を終えることができます。

国語は「差がつきにくい教科」と言われがちですが、言い換えれば「少しの差に大きな価値がある教科」です。

おすすめの参考書

現代文：なし

古文：『富井の古文読解をはじめからていねいに』（ナガセ）

『富井の古典文法をはじめからていねいに』（ナガセ）

『読んで見て聞いて覚える重要古文単語315』（桐原書店）

漢文：『必携　新明説漢文』（尚文出版）

15 ― 数学

続いては数学についてです。数学は最も好き嫌いの分かれやすい教科であると同時に、先ほどお話しした国語とは正反対に、「結果の差が最も大きく開きやすい教科」ともされています。つまり、**「得意になればなるほど自分の武器となる教科」**だということです。

ここで、一つ質問です。皆さんは現在、次の3つのうち、どのレベルに位置しているでしょうか。

レベル1：どれが基本問題でどれが応用問題なのか、その区別ができない（平均より下）
レベル2：基本問題は解けるけど、応用問題はなかなか解けない（平均的）
レベル3：基本問題は解けるし、応用問題も大半は解ける（平均より上）

僕は高校に入学した当初、この3つのレベルのうち、「レベル1」に位置していました。つまり、数学が大の苦手教科だったというわけです。もともと天才気質でもなければ、理系頭脳でもないため、数学に対する苦手意識がとても強かったです。

そんな数学が苦手だった僕でも、今となっては自分の武器となる得意教科に変わりました。その具体的な方法が、次の3つのステップです。

(1) 予習や授業を通して「問題のパターン」を知っておく
(2) 分からないと思った「問題のパターン」に印をつける
(3) ワークを繰り返し解いて「問題のパターン」をすべて覚える
+α 先生が授業中に取り扱った応用問題を復習する

(1) 予習や授業を通して「問題のパターン」を知っておこう

数学で最も大切なのは、「問題のパターンを知っておくこと」です。

たとえば、単元の最初の授業では、教科書の「例題」を使って教える先生がほとんどです。

なぜなら、教科書の例題は問題のパターンを理解する上で最も無駄がない「スタート問題」だからです。

僕と同じように数学が苦手な人は、授業中もしくはその予習の時に、まずは、この「スタート問題」にしっかり気を配り、常に「なんで？　どうしてそうなるの？」と問いかけながら基本を理解していきましょう。

(2) 分からないと思った「問題のパターン」に印をつけよう

次に大切なのは、分からなかった問題や一度では解けなかった問題に印付けをしておくことです。印付けはどんな形でもいいです。問題番号に丸をつけたり、チェックマークをつけたり、後から分かるマークを書いておきます。

たとえば、テスト範囲の数学ワークの課題が一周終わったとします。それは立派なことですが、そこで「一回解いたからもう安心」と満足してはいけません。きっと、「一度で解けなかった問題」や「解答・解説を途中で見た問題」がいくつかあったと思います。これらの問題は、試験直前にはすっかり解き方を忘れて、また間違う可能性が高いです。

ですので、印をつけておいて、自分が見直すべき問題をはっきりさせておきましょう。試験直前の休み時間に振り返られるようにしておけば、あとあと安心できますし、不安や焦りが出たときも心を落ち着かせてくれる良い材料になります。

(3) ワークを繰り返し解いて「問題のパターン」をすべて覚えよう

テスト範囲のワークを一通りやり終えたら、二周目を解いてみます。この時はいちいちペンで問題を書いて解く必要はありません。分かる問題は脳内再生で、読み進める形で十分です。ただ、一周目で印付けした問題だけは、きちんと解法を書いて、完璧に解けるまで練習するようにしましょう。すると、あなたが分からない問題のパターンは完璧に網羅できて、いつか必ず「0」になります。

この流れを掴めばあなたはもうすでに数学が得意といえるレベルになっています。あとは「計算ミス」や「凡ミス」を本番でしないように気をつけるだけです。

「数学を覚える」というと、誰かに「理解しないと意味がない」と反論されそうですが、そんなことは気にしなくていいです。理解できるようになるためには、ある程度の「暗記の過程」を踏むことが必要で、まずはハードルの低い「覚える」ことから始めることで、それを入り口として、より深い理解につながることもあるからです。

僕自身もそのような感覚で得意になった一方で、塾講師のバイトをしている時も、実際にそういう形で理解していく生徒の子が多かった気がします。苦手なら苦手ということを認めてあげる。そして、苦手なりに勉強を始めて少しずつ自分を成長させていきましょう。

＋α 先生が授業中に取り扱った応用問題を復習しよう

最後に、可能なかぎり、授業で取り扱った応用問題を復習します。

よくある定期試験の最後の問題には、その単元で最も難しい問題、または授業で出題された応用問題（に似た問題）が出題されることが多いです。数学が得意で、より高得点を目指したいという方は、ぜひこの問題も得点を狙いましょう。

僕はかつて数学が苦手だったからこそ、苦手意識を抱えている人たちの気持ちや考え方がよく分かります。先生や、数学が元から得意な人たちの「理解」は正しくても、その「勉強法」が必ずしも自分に合っているとは限りません。みんながそれぞれ、自分に合う勉強法を、より自信を持って楽しく取り組めるようになることが大切です。

理系の皆さんはすごいです。一方で、文系で数学が強いと受験でもかなりのアドバンテージになります。皆さんとにかく頑張ってください。

おすすめの参考書

中学：学校で配布されるワークで十分
高校：『チャート式（青色）』（数研出版）＊個人的にはチャート派
『フォーカスゴールド』（新興出版社啓林館）

16 ― 英語

英語は5教科の中で最も重要な教科です。と、今は強く感じます。
正直なところ国語も数学も理科も社会も、将来具体的に使う場面は人によりけりですが、英語は必ずといって良いほどに使う場面が出てきます。

大学で研究をするにしても海外の論文を読まないといけないですし、僕が受験してきた司法試験予備試験にも英語に関する問題がありますし、多くの人が挑むＴＯＥＩＣでは当然英語力を試されます。そもそも大学の基礎授業にも「英語」があるくらいです。

「英語」という教科は、中学高校にとどまらず、より多くの人にとってこの先、より広い場所で必要となるものです。だからこそ、定期テストや受験勉強の一つとして考えず、将来の自分に役立つものになると捉え、一生懸命取り組むようにしましょう。
具体的な勉強法は、次の３つのステップです。

(1) 英単語を覚える(＋英熟語)
(2) 本文を音読して覚える
(3) ワークを解く

(1) 英単語を覚えよう

英語はまず「英単語」から始まります。ここで大切にしていただきたいのは「消去法勉強法」です。すなわち、「自分の分からない単語をいかに消していけるか」が大切になってきます。

一度覚えた単語はそうそう忘れることはありませんが、なかなか覚えることができない単語は本当に覚えられず、思い出せないということが多いです。だからこそ、その苦手な単語に印をつけておくことが重要になります。

英単語の覚え方のコツは、次の3つです。

・単語帳に載っている語源や予備知識と一緒に楽しく覚える

・日本語⇅英語のどちらでも言えるようにする
・口に出して発音やアクセントにも触れておく

僕が使っていた『システム英単語』（駿台文庫）にはよく載っていたのですが、英単語には面白い語源や成り立ちがあります。

たとえば、「discover（発見する）＝dis（否定）＋cover（覆う）」といったものです。

また、発音やアクセントにも注意して口に出しながら覚えるとより効果的です。ちなみに、共通テストなどでは最初のほうで、発音やアクセントの問題が出題されることが多いのですが、それらにはきちんと法則やルールがあります。出題者はその基本となるルールを理解しているかどうかを見てきます。

僕が使っていた『アップグレード』（数研出版）という英文法書の後半部分などのようにきちんと勉強できる教材があるので、そこまで細かく勉強しておくと受験勉強にもつながっていきます。

英語の定期テストでは英単語の確認問題がほぼ確実に出題されます。

そして、ここで出題されるのは、教科書の本文で新しく出てきた英単語、もしくは、学校指定の単語帳で習った範囲の英単語です。それらを覚える際には、「日本語⇅英語」どちらで聞かれても答えておけるようにしておきましょう。また、いざ書いて答えるときにスペルミスもしないように注意しておくと良いです。

＋ 英熟語も対策しよう

多くの先生、そしてYouTubeの勉強法動画でも、「英単語が大事だ！」と口を揃えて言われるので、英単語が大事ということは周知の事実だと思います。

その一方で、実は英単語と同じくらいに「英熟語」は大切ですが、あまり勉強時間を割いていない人が多いです。共通テストでも二次試験でも、「英熟語」の問題は必ず出てくるのですが、学校の授業でも時間を割かないことが多いのではないでしょうか。

それに引っ張られて、「英熟語は対策せずに勘で答えていれば十分」なんて思っていたら本当にもったいないです。なんだかんだ定期テストでも、教科書の本文に出てくる英熟語は出題傾向が高いですし、英単語とあわせて新出の英熟語は必ず押さえるようにしましょう。

受験生向けの参考書としては先ほどご紹介した『アップグレード』（数研出版）と『速読英

熟語』（Z会）をおすすめします。『アップグレード』は僕の場合、学校で配布された文法メインの教材でしたが、英熟語も一定数書かれていました。けれども、それ以上に、個人で購入した『速読英熟語』が本当に役立った覚えがあります。

みんなが知らないような英熟語、だけど受験では問われるような英熟語がたくさん掲載されており、模試でも本番でも何回も役立ちました。定番教材なので、多くの人が利用しているのかもしれませんが、本当におすすめですから、もし知らないという受験生の方はぜひチェックしてみてください。

⑵本文を音読して覚えよう

定期テストでは、教科書の本文がそのまま出題されます。そして本文についての問題でよく聞かれるのは、次の5つです。

①英単語の問題
②穴埋め問題
③単語・文章の並べ替え問題
④和訳問題

⑤読解問題

しかし、これら5つすべてに細かく対応しようとすると、必要以上に長く時間がかかってしまいます。そこで一気に勉強するために必要なのが**「本文を音読して覚えること」**です。

具体的には、まずは英語の本文をそのまま音読し、それを日本語に訳すことができるかを確認しましょう。

そして、それができたら、教科書を見なくとも本文を英語のまま言えるくらいに暗記できるとパーフェクトです。これだけで先ほど挙げた5つの要素にも一気に対応することができます。

全文を覚える余裕がない場合には、その単元で習っている文法表現が入っている文章を特に注意して覚えましょう。

たとえば、現在進行形を習う単元なら、現在進行形が含まれている文章に要注意ですし、関係代名詞を習う単元なら、関係代名詞が使われている文章に要注意です。こういった単元と直接結びついている文章は、ほぼ100%出題されるといっても過言ではありません。

⑶ ワークを解こう

そして、あとはテスト前の課題やワーク、問題集などをひたすら解くだけです。

この時も「数学」の時と同じように、自分の分からなかったことに印付けしておくと、後の自分が楽になります。そして試験前にそこを中心に確認するようにしましょう。

また、英語定期テストの場合は、ほとんどがワークの問題から出題されます。問題を解いて、覚えて、解けない問題を「0」にしておくと、英語の定期テストでは必ず高得点を狙えます。

おすすめの参考書

単語帳：『システム英単語』（駿台文庫）
英文法：『大学入試 英文法・語法問題 アップグレード』（数研出版）
英熟語：『速読英熟語』（Z会）
英作文：学校の先生の添削指導のみのため、特におすすめなし

17 — 理科

お詫びしなければいけないのが、僕は文系であり、理系科目については「化学基礎」と「生物基礎」の選択でしかありません。そのため、理科の勉強法については、この2科目に限定してお話しすることをお許しください。

とはいえ、僕はこの2つの科目について、センター試験（現：共通テスト）ではいずれも47／50点で、この結果は運とかではなく、しっかり勉強に取り組んだ結果だと考えています。

もともとは得意科目ではありませんでしたが、運命を変えてくれたのが「とある参考書」との出合いでした。それが東進ブックスの『はじめからていねいに』（ナガセ）シリーズの化学基礎・生物基礎の2冊です。この参考書のおかげで、受験も難なく乗り越えることができました。

中学生にも高校生にも、正直に申し上げますと、まず定期テストでは、「学校の授業を習う→学校指定の問題集を解く→暗記する」のサイクルを繰り返していくしか方法はありません。理科はとりあえず「ワークを解いて、ひたすら暗記する」に尽きると思います。

たしかに「数学」に関わる計算問題は大変ですが、「なぜそのような式になるのか」「なぜそのような答えになるのか」を言葉にできれば、必ず解けるようになります。このような計算問題は、むやみに暗記しようとするのではなく、公式や定理を練習するしかありません。

おすすめの参考書

生物：『田部の生物基礎をはじめからていねいに』（ナガセ）
化学：『鎌田の化学基礎をはじめからていねいに』（ナガセ）

18 ― 社会

社会といっても、その内容は「日本史・世界史・地理・倫理政経（公民）」とさまざまな種類に分かれます。しかし、その出題パターン（テストで問われる内容）はどれも結局、次の3つに共通しています。

・重要語句（人物・出来事・場所・年号などの語句を答える問題）
・記述問題（なぜ、どうして～？など質問に文章で答える問題）
・正誤問題（記号問題・並べ替え問題）

社会は「暗記科目」と呼ばれるくらい、「覚えているか覚えていないか」で点数が左右される科目です。**すなわち「知っているか知っていないかの世界」です。**

先生（出題者）は教科書やワークに書いてあることしか問題にすることができないというの

が原則ですから、そう考えると、ワークを解いて覚えれば満点を取ることも簡単ですし、やればやるだけ点数も上がるということが保証される最高の教科だといえます。

僕は「世界史」選択でしたので、ここでは世界史の勉強法に限って説明させていただきます。一方で、世界史はどんなテストや模試でも90点を下回ったことがなく、日本史やその他の科目にも共通して大切といえる勉強法がありますので、ぜひご活用いただければ嬉しいです。

はじめに、「世界史＝勉強」だという意識を持たれがちですが、僕はアニメや絵本と同じようなもの、つまり、世界史＝ひとつの「物語」や「ストーリー」として考えるようにしていました。これはどういうことかといいますと、結局アニメや絵本も世界史も、

・誰が（登場人物）
・いつ（時代）
・どこで（場所）
・何を（出来事）
・どうして（理由）
・どのように行ったのか（内容）

が共通のポイントとなっており、これが一つの物語を構成しているということです。

きっと皆さんは、自分が大好きなアニメや絵本・映画を一度観てしまえば、何も見直さなくても、そのあらすじや話の流れを簡単に説明できてしまうと思います。それと全く同じで、「世界史」という物語を「楽しむ」感覚で覚えると定着しやすいです。

この感覚を意識した上で、勉強の流れは次の3つのステップです。

⑴あらすじを学ぶ
⑵ワークの問題を解く
⑶ノートまとめ（情報の一元化）をする

⑴あらすじを学ぼう

まずは、学校の授業で習った大まかなあらすじを勉強してください。繰り返しになりますが、ポイントは「誰が（登場人物）、いつ（時代）、どこで（場所）、何を（出来事）、どうして（理由）、どのように行ったのか（内容）」の6つです。

しかし、先生のあらすじの説明が下手だったり、授業中に寝てしまって内容を聞き逃したりすると、そのあらすじの流れに対する理解ができなくなってしまいます。

そんな時には YouTube で解説動画を探すのもありでしょう。僕は「映像授業 Try IT（トライイット）」をよく見ていました。自分の好きなときに好きな範囲で、完全無料の映像授業を見られるのでおすすめです。

また、アニメや絵本では映像やイラストがあるから分かりやすいのですが、世界史の授業ではそこが足りません。ですから、資料集の写真やイラストを見て、具体的なあらすじ・ストーリーを意識して思い浮かべるようにしてください。これはなかなか難しいですが、逆に「あらすじ・ストーリーが頭に浮かびやすい教材」が自分に合った参考書選びの基準になります。

(2) ワークの問題を解こう

他の教科同様に、ワークの問題を解きます。結局は問題を解けないと点数は取れませんから、先ほど挙げた「6つのポイント」がどのような形で問題になるのかを確認しましょう。また、ここでもワークの解き方は同じで、「一度解いてみる→解けなかった問題にチェックする→暗記する」の流れで取り組みましょう。

(3) ノートまとめ（情報の一元化）をしよう

もちろん授業の板書をそのままノートに書き写せば良いのですが、僕の場合、別の社会科の先生が配布していた穴埋めプリントがあまりにも分かりやすかったため、受験の全範囲分くださいとお願いして、使用させてもらいました。このプリントをベースに、自分なりの色分けをして徹底的に覚えました。

あまりにも色々と書きすぎてあるように見えますが、自分の中のルール（国ごとのイメージに基づく色分けなど）があったので何も困ることはなく、むしろ自分だけの最強の勉強ツールになっていました。そういった意味では、教科書よりも「プリント・資料集・ワーク・YouTube 動画」の４つの教材で学習を回していました。

また、この紙を動画に載せると、「何かがぎっしり書いてある」「効率が悪い」と指摘されることがあります。つまり「もっと時間と労力をかけずにできるでしょ」という内容のご指摘です。その通りです。

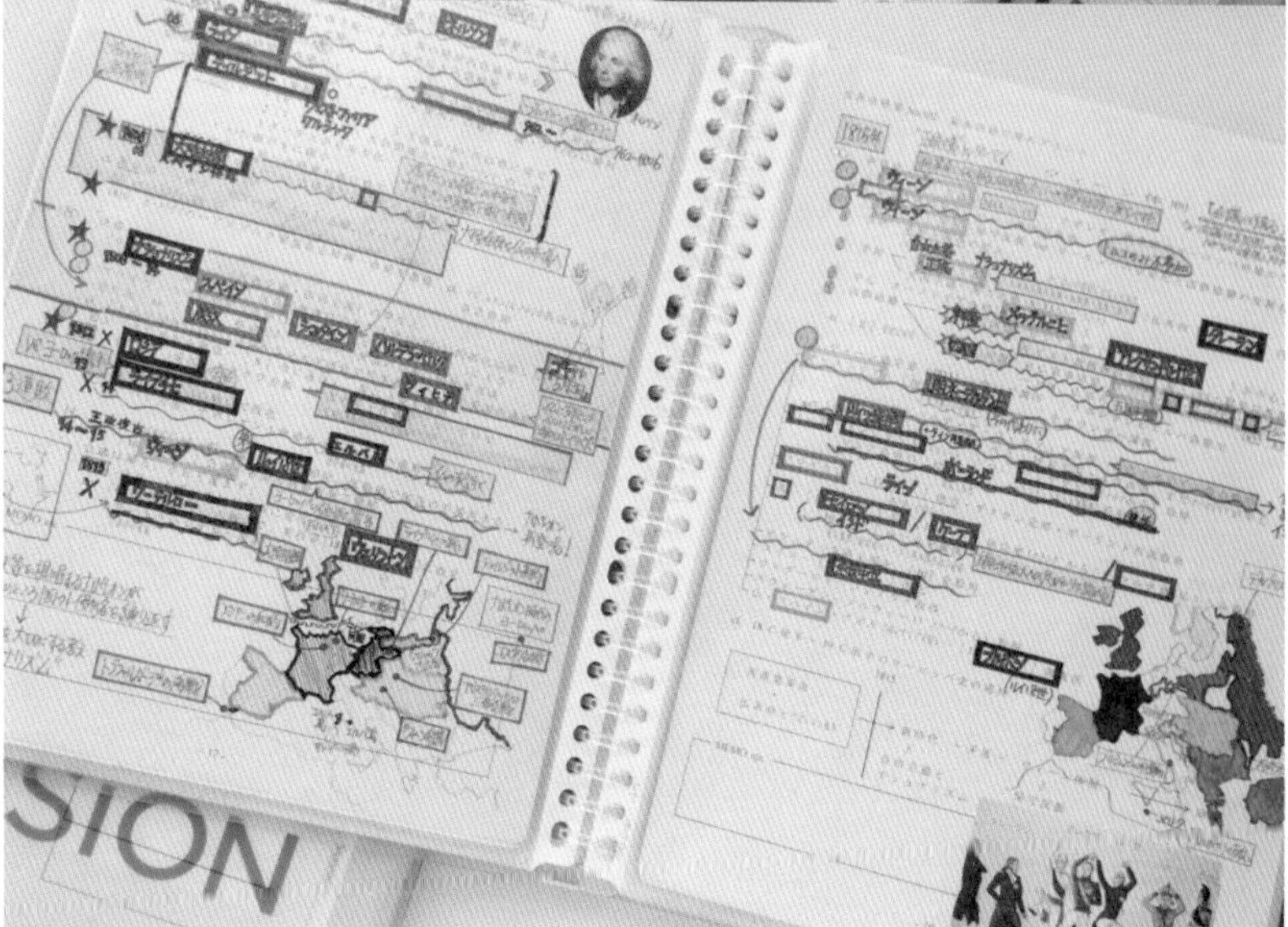
pikeが実際に使用していた社会のプリント

勘違いしてほしくないのは、この勉強法を皆さんに押し付けているわけではないということです。勉強に王道はなく、色々な方法を自分の目で見て知り、模索しながら、自分に合った方法を見つけていただきたいのです。

より良い勉強法を見つけるための一つの出合いとしてこの方法を知り、何か新しい方法を始めるきっかけやヒントを拾ってもらえたら嬉しいなと思います。

ちなみに、僕がこれまで説明したような物語形式で楽しく覚えられる参考書がすでに発売されています。『一度読んだら絶対に忘れない世界史の教科書』（ＳＢクリエイティブ）は最高におすすめです。あらすじ・ストーリーがうまく思い浮かばず悩んでいる人はぜひ書店で本を手に取ってみてください。

おすすめの参考書

世界史：・『一度読んだら絶対に忘れない世界史の教科書』（ＳＢクリエイティブ）
※「日本史」もシリーズで出ています
・YouTube チャンネル「映像授業 Try IT（トライイット）」
・『世界史Ｂ一問一答』（ナガセ）
・学校で配布される資料集

19 ― 小論文の書き方

小論文って？

僕が現在、在学中の名古屋大学法学部の受験科目は、「数学・英語・小論文」の3科目でした。つまり、国語よりも**「小論文」**の勉強が必須であり、これまで重点的に学習してきた科目の一つです。

受験期には、いくつかの小論文模試（予備校主催の正式な大学プレを含む）を受け、その度に模範解答を分析しました。そこで学んだノウハウについて、ここに分かりやすくまとめたいと思います。

小論文の問題形式

まず、小論文が問題として出題される場合、その形式は次の2つです。

(1)要約型↓「本文全体(傍線部)を〇〇〇字以内で要約せよ。」
(2)論述型↓「本文(傍線部)について、自分の意見や考えを〇〇〇字以内で論述せよ。」

小論文が受験科目にある人へ

そして、次の2点はとても重要なことなので、先に述べておきますね。

・受験する大学のプレ模試・オープン模試は必ず受験する。
➡なぜなら小論文を書く機会がそれくらいしかないから。
・模試の解答は捨てずに、本番まで集めてとっておく。
➡どんな参考書よりも一番の参考になるから。むしろ参考になる本は他にない。

(1) 要約型の対策

「要約」という言葉を聞いて皆さんはどのように解釈するでしょうか？

かつての僕は、**「要約＝自分なりに本文をまとめ直すこと」**だと思い、文章の一部を自分なりの言葉で勝手に書き換えたりすることがありました。

しかし、これは致命的なミスで、まったく良い点数を取ることができませんでした。

そこで、小論文模試を受ける度に、その模範解答を繰り返し分析しました。すると、そのほとんどの解答が、**「要約＝文章の切り抜き」**でしかないことに気が付きました。

つまり、「要約せよ」といわれたからといって、いちいち自分の言葉でまとめ直したり、新しい熟語や慣用句を書き加えたりという作業は全くもって不要なのです。むしろ、自分なりの言葉や表現を組み込んでしまうと、誤った解釈を加えることになります。

でも考えると確かにそうです。どんな本や評論の文章も、必ず著者や作者が特別な意図を込めて、彼ら彼女らなりの言葉で表現しています。それを、自分の言葉で勝手に書き換えることなどは言語道断、NGです。

つまり、いかに本文を一字一句変えることなく要約することができるかを意識すると、この問題はイージーモードに変わります。特に小論文に慣れていない方は、文章をそのまま切り抜きすることを意識して挑戦してみてください。これを知っていると知っていないとでは、点数は雲泥の差ですし、逆に言えば、簡単に点を稼げる問題のため、個人的には失えば失うほどもったいないと感じます。

また、このことを知っておけば、解答にかかる時間も少なくなります。そのため、次に控えるメインの問題（論述問題）に余裕を持って取り組むことができます。要約の問題は点数を効率的に稼ぐチャンス問題なので、ぜひ自信を持って、一早く解答を終えることを意識しながら取り組んでみてください。

ただ、注意しなければならないのが、稀《まれ》に要約問題について「書き換えること」を容認している小論文模試があります。これに関しては、志望校によって要約スタイルが変わる可能性があるため、過去問などで確認してみてください。ですが、僕が出合ってきた小論文模試の9割は、「要約＝文章の切り抜き」として解答が作成されていたので、大半がこの形式と考えて問題ないと思います。

(2) 論述型の問題

「論述型」の問いでは**「〇〇について自分の意見や考えを述べよ。」**と問われることがほとんどです。そのため、先ほどの要約問題とは反対に、自分の考えを一から文章にしつつ、本文を踏まえた上で表現を考えなければなりません。そう考えると「難しい」とか「書きにくい」という印象を受けてしまいますが、実際のところは、次の2つのステップだけで、合格点が取れる文章を簡単に書くことができます。

①ある程度決まった「型」を用意する
②具体例を調べておいて、「型」に必要なことを当てはめていく

①ある程度決まった「型」を用意しよう

問題ごとで出題内容は全く違うはずなのに、その解答には「接続詞」「文章の流れ」「文章の配分」「段落の位置」など、書き方の共通点がたくさん隠されているのです。そんな分析を通して作ったのが、「序論」「本論」「結論」で構成された、僕の「マイ型」です。

序論：問題文に対する自分の立場を述べる　―　2割

まずは、最初の段階で自分の意見をはっきりと述べてしまいます。賛成か反対かを選ぶ場合でも、自分の考えを一から述べる場合でも、とにかく「Q．問題文」に対して、「A．私はこうだ」という立場をはっきりさせます。この考えについて、「なぜ」「どうして」という理由付けを本論で書いていくというのが、小論文における王道の流れです。

また、小論文は、自分の本心を書くのも正解ですし、嘘の意見を貫いて書くのも正解です。一方で、文字数足らずで意見を十分に書かないままに終わることは唯一の不正解です。そのため、自分の立場を決めるのはなるべく早く、具体的には「一分以内」を目標にしましょう。

本論：理由＋具体例を述べる　―　6割

ここでは、序論に対する理由を述べます。「私がこのように考える理由は、次の○点である。一つ目は、～。」という形で整理して書くようにしましょう。また、理由付けは、具体例を出すと加点要素になります。こういう出来事が実際にあったから、こう考える、とすれば、説得力が増して読み手が読んでいて「フムフム」と納得しやすい文章になります。

また、同じ文章は何度も繰り返し乱用してはいけません。語彙力がない、内容が薄いと思われてしまうからです。小説のような比喩表現も絶対に避けましょう。小論文は、僕らの文才を披露する場ではないからです。

結論：意見をまとめて帳尻合わせする　―　2割

「したがって、（結論）。」という形で、最後の締めくくりを書きます。ただ、一行ぽつんと書いて終わるのではなく、数行ほどかけて、文字数を帳尻合わせする形で意見を書いて終えましょう。小論文は「終わりよければ、全てよし」で済まないですが、締めくくりが綺麗だと答案の印象が良くなります。

皆さんもぜひ、この型を見た上で、自分なりのより良い「マイ型」を仕上げながら、出題意図に合った文章を本番で書ける力をつけていただきたいなと思います。

②具体例を調べておいて、「型」に必要なことを当てはめていこう

この「マイ型」に当てはめていく内容ですが、それは自分が受ける学部が何を求めているかを考えて内容を決めます。

たとえば、僕の場合は法学部ですから、法律や政治のことを書くとすごい親和性が出ます。経済学部ならお金や経済にまつわる話を書くといいです。時事問題などの現実的な問題や社会で話題になっているトピックを絡めると、読む側（採点者：学部の教授）からしても面白く興味深い内容になるので、より良い点数につながりやすいです。

「小論文を書く生徒は、ニュースや新聞をチェックしろ」と指示されがちですが、何でもかんでもチェックすればいいというわけではありません。「自分の目指す学部」に関する話題を調べておくのです。つまり、新聞やニュースばかりを見聞きするというよりかは、きちんと社会の教科書や資料集といった専門的な情報が集まる教材に目を向けておくと他の人との差をつくりやすいです。

そのチェックした内容を「具体例」として書き出し「その問題点は何なのか、それに対する自分の考えはどのようなものか」というポイントさえ書ければ、平均よりもいい点数を取れること間違いなしです。

また、これは基本的なことですが、試験本番はできるだけ綺麗な字で、素早く書く、そして誤字脱字に気をつけることを意識して取り組んでください。*僕の大学の教授が講義の際に、字の綺麗さで採点時の印象は大きく変わると言っていたくらいですから、丁寧に仕上げるに越したことはないでしょう。＊点数に直接作用するかは不明です。

さらに、冒頭部分で、「小論文に関するおすすめの参考書はない」とお話ししましたが、その理由は、どの参考書に書かれていることも、内容が「抽象的」で分かりにくいからです。多くの「小論文の書き方」と題する本は、たしかに参考になる部分はあるかもしれませんが、僕が読んだ限りでは、現場の認識とかなり違うものがあったり、いざ参考にしても実際の解答とは正反対の内容だったりすることがありました。

そして、「抽象的」だからこそ、自分の学部や学科の「具体的な部分（時事問題など）」にまで落とし込んで理解するのも難しかったです。

大切なことなので、もう一度書いておきます。

本当に必要なのは、受ける模試全部の解答文をきちんととっておくこと、そしてそれらを見比べて分析することです。時間が限られた受験生活の中で、最も参考にすべきは「模範解答」であることを忘れないでください。

さらにいうと、大学に入ってからは、課題でレポートを書く機会が山ほどあります。その際に、自分の考察や意見を厚く書かなければなりませんが、小論文の経験があれば全く苦ではないですし、むしろ得意で楽しいとまで感じられるようになります。

CHAPTER

4

学びのアイデア

20 前向きな気持ちを持とう

これまでの動画内ではあまり話してこなかったのですが、僕の家庭はあまり裕福ではありませんでした。だから、たとえば塾に通ったり、何でもかんでも教材を買ってもらったりすることはありませんでした。世の中にはもっと大変な環境の方がいることは分かっていましたが、その一方で、もう少しでも学習環境が整っていれば、もっと余裕を持って受験期を過ごせたのにと、今でも思うことがあります。

そういった金銭的な事情があったことと、通いたい大学が一つしかなかったので、受験当時の僕は、第一志望であった国立一本で勝負することを決めました。そのため、いわゆる滑り止めで私立大学を受験することはなかったですし、必要な教材は、自分なりに情報収集しながら、お小遣いで購入することもありました。

しかし、このようなシンプルに物事を考えて、効率よく勉強に向き合うことが求められる環境だったからこそ合格できたと、今は強く実感しています。

きっと世の中には、受験勉強の進め方に悩んでいる方はたくさんいらっしゃるでしょう。時には、環境のせいにしたり、不平不満をこぼしたりしたくなるかもしれませんが、受験生には、嬉しいこと、楽しいこと、幸せなこともたくさんあります。だから、**無理に思い詰めるのではなくって、前向きに頑張ってみてほしいです。**

さて、この章では、僕なりの受験期の勉強法や計画の立て方、アドバイスといった「学びのアイデア」全般をまとめました。受験に限らず、資格試験の勉強など、色々な学習シーンで役立つものが多いと思います。

ぜひ、今後の参考にしていただけると嬉しいです。

21 まずは過去問から始めよう

何よりも先に過去問をチェックしよう

受験において、まず絶対に忘れてはならないのが「過去問」の存在です。

皆さんに一度思い出してほしいのですが、小学校や中学校の義務教育では、「まず教科書をしっかりと読み込んで、それから問題を解きましょう！」という流れで授業が進みましたよね。これが間違っているとはいいませんが、受験勉強においては、この進め方は効率がよくありません。

もちろん、教科書や参考書をじっくり読み込めば、知識を理解した気にはなります。しかし、その知識がどのように出題されるのかを知らないままでは、制限時間のあるテストで、十分に答えを引き出せないまま終わってしまいます。ですから、どんな受験でも、まずは問題を知ることから始めましょう。

そこで、最初にすべきことは、**志望校の過去問をチェックする**ことです。

たとえば、「志望校の過去問をネットで検索する」「書店に行って志望校の過去問を探す」「学校や塾の先生に過去問がないか質問する」ことが必要です。

とにかくチラッとでもいいので、志望校の過去問に目を通してから、受験勉強を始めてください。過去問からスタートすることで、試験で問われる内容を最初に知ることができれば、受験勉強を始める段階で、すでに周りと差をつけることができます。

過去問はできるだけ多くの年度分を解こう

さて、「高校入試」や「大学入試」という試験制度は、すでに始まってから何十年もの蓄積があります。時には、難易度が例年に比べて高かったり、年度が古いものは、今と形式が異なっていたりはしますが、出題傾向は過去問から見て取ることができます。

そのため、**過去問はできるだけ多くの年度分を解くべきです。**皆さんが受験する年の問題は、たしかに過去問と一緒ではありませんが、同じような、または似たような問題が出題される可能性が高いです。どの志望校を目指す上でも、過去問の雰囲気を知っておくことはとても大切です。

また、**「過去問を解く」ということは、答え合わせから解答分析、復習までを必ず一つのセットと捉える**ということです。問題をただ解いて終わり、で満足していたら何も意味がありません。

受験勉強は、「いかに自分の長所を伸ばすか」ではなく、「いかに自分の短所を消せるか」です。

過去問を解くのなら、間違った問題はしっかり復習して、もう一度出題されてもすぐに答えが浮かぶ、または答えまでの道筋がイメージできるくらいまで取り組むようにしてください。受験勉強で一番大きな差がつくのは、この「できない問題をどこまでなくせるか」に尽きます。

本当に大切なことなので、もう一度書きます。

・過去問は、できるだけ多くの年度分を解く
・「過去問を解く」とは、答え合わせから解答分析、復習までを必ずセットに含める
・受験勉強は、「いかに自分の長所を伸ばすか」ではなく、「いかに自分の短所を消せるか」

これができる人は、必ず受験成績が伸びますし、逆にこれができない人は、天才じゃない限り、受験成績が伸びることはありません。

問題を解くときは、あえてストレスのかかる環境にしよう

過去問を解くときに大切なのは、試験本番と同じような雰囲気を味わうことです。そのため、背筋を伸ばして席に着いて、タイマーなどで試験本番と同じ時間設定をしてから取り組むようにしてください。大切なのは、あえてストレスのかかる環境をつくることです。

・背筋を伸ばして座る
・タイマーをセットして時間を設定する
・答え合わせと分析までして終わる

ただ、一つだけ注意点があります。

もし、過去問を解いているときに絶対に自分が解けない問題しか残っていなければ、試験時間が終了する前にさっさと切り上げて、答えを見ても大丈夫です。いくら考えても解けないと自分の中で分かっているのに、それでも頭を悩ませるのって、時間がもったいないですよね。

過去問を解く本当の目的は「良い点数を取って安心すること」ではなく、「問題形式に慣れること」「少しでもできない部分をなくすこと」であることを、きちんと理解しておいてください。

もちろん自信につながることもあるので、過去問で高得点を取れるに越したことはありませんが、前のページでもお話ししたように、**最も大切なのは、問題を解き終わった後の時間（答え合わせから解答分析、復習までを行うこと）です。**

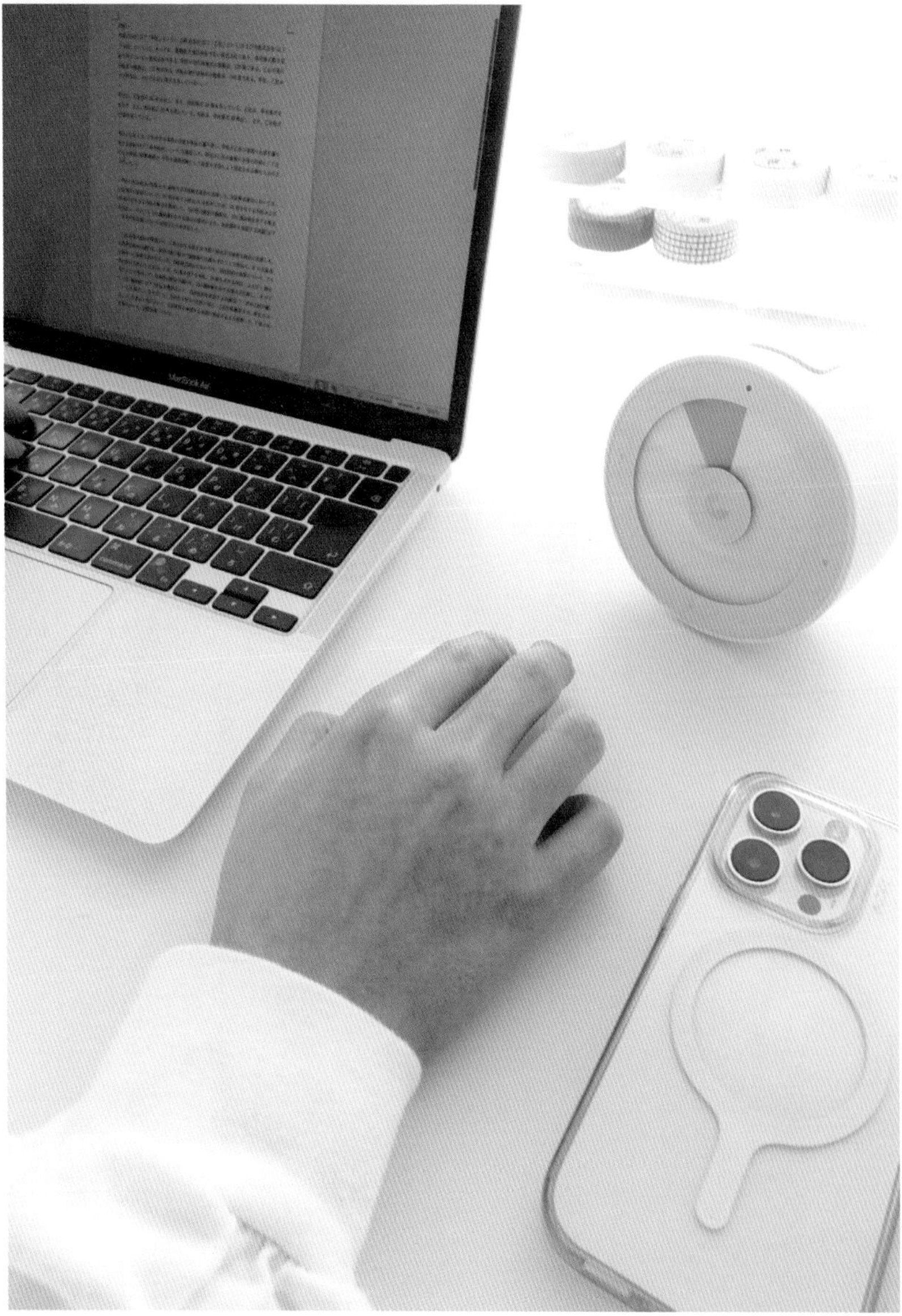

22 ― 学習計画を立てよう

計画にはどのような種類があるのか？

さて、皆さんが大学受験や資格試験を一年後に控えていたとします。どのように計画を立てるでしょうか。

この時に最も大切なのは、**「逆算思考で計画を立てること」です。**

逆算思考とは？（未来→現在）

あらかじめ定めたゴールから逆算し、この先やるべきことを遡《さかのぼ》って導き出す考え方のこと。

たとえば、「来週にテスト本番がある。だから今週中に課題を終わらせよう」とか、「日曜日に恋人の誕生日がある。だから、前日までにお祝いの準備を済ませておこう」とか、未来の予定から逆算したスケジュールに基づいて行動する思考方法のことをいいます。

目の前のやることからむやみやたらにこなすのではなく、長期的な視点を持って物事を整理してから取り組むので、まさに勉強や仕事に適した考え方です。

一方で、受験勉強のような長期学習の経験がない場合、積上《つみあげ》思考で勉強をスタートさせてしまう人がいます。

積上思考とは？（現在→未来）

今、目の前で起こっていることへの対処を優先し、無意識で行っている日常的な考え方のこと。

たとえば、「今日は雨が降りそうだから、とりあえず傘を持って行こう」とか、「今日は臨時休校になったから、午後は思い切り遊んじゃおう」とか、その場の状況に応じて、目の前のことに基づいて行動に向かう考え方のことをいいます。まさに、何も計画を立てず、とにかく目先のことから取り組んでいこうとする考え方です。

もし「積上思考」でしか行動できない場合、「今日はこの問題を解こう」と目の前のことだけを見て、その場しのぎの日々を繰り返すことになります。

その結果、全体の範囲を見ないまま、自分の好きなことばかりに手をつけて、苦手な教科や面倒くさいことを後回しにしてしまいます。気付いたときには、試験本番まで時間が残されておらず、八方ふさがりになって焦るという状況です。

しかし、「逆算思考」に基づけば、「この日に試験があるから、この日までに参考書をすべて終わらせよう」「今週はこの課題をクリアして、来週以降はこの苦手単元を復習しよう」と、きちんと優先順位を立てて、計画を遂行することができます。

具体的な計画例

具体例として、僕が受験当時どのように計画を立て、それをどのように進めて合格に至ったのかを説明します。学習計画の立て方や志望校の選択に困っている方は、ぜひ一度、ここで一緒に考えてみましょう。

計画を立てるときの流れは、超簡単！　次の3つのステップです。

(1) 志望校を決める
(2) 合格までにやるべきことを並べてみる
(3) 大まかなスケジュールを立てる

(1) 目標を決めよう

大学受験でゴールとなるのは、当然「志望校（志望学部）」への合格です。

志望校の決め方は、次の4つの軸で考えます。

①自分が将来学びたい分野は何か（→弁護士という夢があるので法学部に入りたい。）
②受験科目は自分の得意科目か（→国語の点数が安定しないので、国語なしが理想。）

③住みたい場所はどこか（↓親戚がいる名古屋か、たくさん遊べる都会。）
④自分の学力に見合っている学校か（↓旧帝大なら目指せる範囲。）

僕の場合、すべての要素を十分に満たしたので、「名古屋大学法学部への合格」を目指すことをすぐに決めました。この「最終目標の決断」が早ければ早いほど、受験勉強はスムーズに余裕を持って開始できます。

(2) 合格までにやるべきことを並べてみよう

やるべきことは科目別に、使用教材も一緒に並べると分かりやすいです。
僕の場合は、二次試験で「小論文」「数学」「英語」の科目で受験が必要なため、

- **小論文**↓過去問、模試の解答分析、自分だけの型をオリジナルで作る、教材なし
- **数学**　↓学校の授業、青チャート、過去問、模試、添削問題を解く
- **英語**　↓学校の授業、英単語（シス単）、英文法、英熟語、過去問、模試、英作文

といったように「やるべきこと」を並べてみました。僕は塾に通っていなかったため、教材な

どは自分で調達しながら、最終的にはそれぞれの目的に合った教材を一つに絞ることで、タスクを増やしすぎないように意識しました。

(3) 大まかなスケジュールを立てよう

・小論文↓過去問と模試は**その都度**、型の固定は**秋まで**に仕上げる
・数学　↓青チャートは**夏休み**で完了、過去問と模試は**その都度**、添削問題は**冬まで**
・英語　↓シス単は**夏休み**で完了、その後も継続、英作文の添削は**冬まで**

こうして自分の計画を並べてみると、意外にもやることは単純であることが分かります。これがまさに「逆算思考」の一番のメリットです。最終目標から遡って今やるべきことを一度整理することで、**見えなかったはずの合格までの道筋が一気にイメージできるようになります。**

さらに、しっかりと根拠を持って、自分なりに考えて作った計画だからこそ、冷静に見られて安心できるという心理的メリットも大きいです。この精神的支えになってくれる点が、緊張や不安に負けやすい受験生にとっては最大の恩恵になるのではないでしょうか。

人間の脳は、「現実に起きたこと」と「イメージしたこと」を綺麗に区別することができないそうです。つまり、未来のイメージを繰り返せば繰り返すほど、人はイメージを現実化させようと行動するので、将来的に成功する確率がどんどん高まっていきます。身体が本能的にイメージし続けたことを無理にでも実現しようと、行動を起こすために背中を押してくれるのです。

ですから、皆さんも計画を立てた上で、自分がこの先の夏休み、秋、正月、冬休み、何をどのように勉強しているかを頭の中で想像してみましょう。できるだけ、具体的にです。

部屋でひとり、実際に何を勉強しているか。どの会場で、どんな模試を受けているか。本番はどんな様子で解答を進めているか。あなたの努力する姿そのものを頭の中でイメージし、ととことん成功する姿を想像するのです。これは遊びではなく、トレーニングです。

想像を確信に。確信を行動に。行動を現実に。

もしあなたがこの時点で明確な光景を見通すことができていた場合、逆算計画法は成功しています。最終目標から逆算してイメージできるかは、その計画をあなたが行動に移せるかどうかという「実現可能性」を示すからです。

あくまで「計画」は「計画」です！

勉強計画は、あくまで「計画」にすぎないので、思った通りに進むことなんて滅多にありません。だから、計画通りにいかないだけで、自責の念にかられるのは、非常に無駄なことです。誰にだって、突然体調を崩したり、予期せぬトラブルが起きたりすることってあるじゃないですか。だから、ちょっと計画が崩れただけで、いちいち悲しくなる必要なんてありません。

もちろん、計画通りに進んでいくに越したことはないですが、そこまで突き詰めて考える必要はないです。もっと気を楽にして、肩の力を抜いて、前向きに考えるようにしてください。

どんな状況でも、自分のペースを大切にしましょう。

23 ― 疲れたら、すぐに仮眠を取ろう

もし勉強中に眠くなったら

勉強している途中で眠くなることって、誰しもが経験することですよね。

そういう時は、**すぐに「仮眠」を取りましょう。**10～30分ほど後にアラームをセットする、もしくは、家族に叩き起こしてもらうことを約束しておくのです。

僕の場合は、アラームをセットしても寝過ごしてしまったり、一度起きたのに二度寝してしまったり、うまく対処できないことが多かったです。だから、家族に「この時間になったら叩き起こしてよ絶対に。」と伝えてから寝るようにしていました。

ポイントは「叩き」起こしてもらうことです。結局は起きて目を覚まさないと意味がないので、そこまでを含めて頼んでおくことが重要です。

また、仮眠を取れないというか、どうしても寝られない状況ってあると思うんです。たとえば、学校の教室で周囲に見られる状況だと、自分の寝ている姿を見せたら恥ずかしいですよね。また、課題の期限がすぐ近くまで迫っている状況だと、寝る暇を惜しんで集中しないといけないです。こういう時って、睡魔を倒さないといけません。

このような場合は、**窓を開けて新鮮な空気に触れて、一度体をリセットしてみましょう。**

すると、不思議なことに、すぐにパチっと目が覚めます。また、ついでに水を飲んで深呼吸してみてください。自律神経が整って、適切な気分転換を行うことができます。

良質な睡眠のためにできること

勉強中に仮眠を取る以前に、夜の睡眠が良質であれば、日中に眠くなることはなさそうなのに……と思ったことはありませんか？

かつての僕は、試験に対する不安から夜遅くまで勉強しがちだったのですが、睡眠の質を見直してしっかり寝るようにしてから、成績が良くなりました。そもそも、十分な睡眠を取らないと、睡眠不足が原因で体調不良を起こしやすくなります。頭痛や風邪の症状を抱えながら勉強することほど、大変なことはないですよね。

また、良質な睡眠は、健康増進のためにとても大切で、勉強の集中力にも大きく影響するといわれます。それだけでなく、夜中にしっかり睡眠を取れた方が、記憶がきちんと整理されて、暗記物が定着しやすくなります。

だからこそ、ぜひ**「寝る勇気」**を持って、**きちんと睡眠を取ってください。**

良質な睡眠のためには、「量」と「質」のバランスが大切です。量については、個人差がありますが、一般的には、6〜8時間の睡眠が必要といわれます。徹夜して睡眠時間を削らないといけない場合ほど、自分が寝るための時間を確保できるように努力してくださいね。大切なのは「寝る勇気」です。体を壊す前にきちんと寝てくださいね。

また、質については、次のことを心がけてください。

・朝にカーテンを開けてしっかり朝日を浴びる（体内時計を整えるため）
・夕食は早めに済ませる（睡眠の時に胃ではなく脳に血液を集中させるため）
・寝る前はパソコンやスマホを見ない（ブルーライトで目が覚めないようにするため）
・平日も休日も、就寝・起床時間を一定に保つ（生活リズムを整えるため）
・部屋の温度や湿度を適切に設定する（温度や湿度が低いと風邪をひきやすいため）
・音が気になる場合は耳栓をするか、睡眠導入の音楽を流す（睡眠に集中するため）

特におすすめは、「朝にカーテンを開けてしっかり朝日を浴びること」です。暖かい日差しを浴びることによって、朝日と一緒に生活をスタートできることが嬉しくて、やる気がどんどん出てきます。これと同時に、背筋を伸ばして、深呼吸をしてみてください。すると、体が軽くなり、心の疲れをリセットできます。ぜひ皆さんも試してみてください！

24 暗記テクニック

記憶の種類

どの科目でも、どんな勉強でも、最低限の「暗記」なしには成り立ちません。基本的に人は忘れやすい生き物ですから、テストで確実に点数を取れるようになるには、正しい暗記法を知っておく必要があります。

皆さんは「記憶」に3つの種類があることをご存知でしょうか？

「**感覚記憶**」…五感を使って体で感じ取る記憶のこと

たとえば、電車の音や車の走行音、鳥のさえずりや川のせせらぎといった、日常の中で溢れている音を感じ取る記憶のことです。しかし、この感覚的なものをすべて記憶に残していたら、脳が情報で溢れ返ってパンクしてしまうことになります。

だから、人はこれらを一括して覚えようとせずに、数秒単位で記憶から排除するような仕組みになっています。

「短期記憶」…感覚記憶よりも長く、ある程度の間は覚えることができる記憶のこと

たとえば、一度覚えたはずの英単語が、次の日になると忘れてしまっているとか、あの時は言えたはずの答えが、今はなぜか思い出せないとか。覚えたその瞬間は自信があった。けれどもそれは一時的なものにすぎなかったという記憶です。

ただ、これは「完全に忘れてしまった」というわけではありません。「脳のどこに情報をしまったのか分からなくなっている」という、脳内で落とし物を探している状態です。

一度忘れた単語も、最初の一文字目を聞くと一瞬で思い出すことができたり、クイズで分からない問題が出されても、ヒントを聞いたら答えがすぐに思いつくのが、まさに「短期記憶」の仕組みというわけです。

「長期記憶」…いつでも簡単に取り出せる記憶のこと

先ほど説明した「短期記憶」は「どこにしまったか分からない状態」なのに対して、「長期記憶」は「どこにしまったか分かっている状態」です。
つまり、ヒントを聞かなくても、自分の力だけで答えを導き出せる状態のことをいいます。

では、どうすれば、**「短期記憶を長期記憶に変える」**ことができるのでしょうか？

そもそも人は、「つまらない」「退屈だ」と感じたことは、自分にとって不必要な記憶と判断し、すぐその場に置いてこようとしてしまいます。たとえば、日常でふと耳に入った単語や文章なんて、人生においては大した意味をなさないように感じて脳は記憶してくれません。
だからこそ、僕らがやるべきことは、つまらないをとことん印象強いものに変える工夫をすることです。

そのために僕が実践していることは、次の3つです。

(1) 覚えられないことをピックアップする
(2) 手を動かして口に出してみる

(3) アウトプットを何度も繰り返す

(1) 覚えられないことをピックアップしよう

これは、82ページでご説明した「印付け」と全く同じ目的です。

たとえば、次のテスト範囲の単語を、ある程度覚えきったという状態だったとします。でも実際は、すぐに思い出せる単語とそうでない単語があるはずです。そして「そうでない単語」ほど、いつになっても思い出せないということが多いです。

つまり、「覚えやすかった」という単語はもうすでに用済みで、あなたが注意しないといけないのは、初手で覚えにくいと感じたものです。

勉強においては、「どれだけ正解できたか」と考えるよりも、**「どれだけ多くの間違えを残したか」**を重視できるほうが優れているといわれます。なぜなら自分の苦手や間違えを理解していないと、そもそも「復習」はできませんし、高得点を狙うならなおさら自分の凡ミスをいかになくすかが勝負の鍵となるからです。

そのため、とりわけ「暗記」においては、「自分の強みを磨く」というよりも、いかに「弱みを消すことができるか」という点をポイントに考えたほうが良いでしょう。

(2) 手を動かして口に出してみよう

これが暗記において、最も大きな効果を発揮します。

たとえば、マーカーで線を引く。チェックマークをつけておく。印付けする。モゴモゴと口に出して覚える。実はこうした作業は、(1)で覚えにくいと感じたものを印象強いものに変えて、より覚えやすくする効果があります。

このように、「なんとなく覚えにくいな」というものほど、触覚や視覚、聴覚といった感覚と関連づけて、自分の記憶に深く刻むことが大切です。

付せんを貼って手を動かし、印象を強くする

⑶ アウトプットを何度も繰り返そう

人の記憶は、「穴が空いた壺の中の水」と例えられることがあります。

つまり、定期的に記憶を継ぎ足さないと、数年後には覚えたことを完全に忘れてしまいます。

きっと皆さんのご両親も、学生時代に多くの授業を受けてきたはずです。それなのに、僕たちが学校で習ってきた内容はほとんど覚えていないですし、たまに質問しても答えを思い出せませんよね。何もせずに放っておくと、いつかは記憶が抜けきってしまうのです。

そのため、大切なのは、暗記を何度も繰り返すことです。

時には自分の脳に、「これちゃんと覚えている?」「今聞かれてもすぐに思い出せる?」と問いかけ、定期的にメンテナンスを行うことが必要です。空いた穴から水は流れるけど、また注ぎ直すことができるのは、あなたしかいないのです。

人は忘れたい記憶をすぐその場に置いてこようとする生き物です。良くも悪くもその出来事が特別・非日常的ではない限りは、簡単に忘れてしまいます。**だからこそ、もし暗記力に困っ**

ている方がいるとすれば、それはあなたの性格や能力に問題があるのではありません。単に自分に合った暗記法を実践していないだけなのです。

勉強している内容が自分にとって退屈に感じると、すぐに「短期記憶」として「とりあえずしまっておこう」と脳が勝手に処理してしまいます。

そこで、皆さんが脳をそうさせないための工夫をする必要があるのです。収納の仕組みと同じで、あなたがどこに何をしまったか、それを普段からきちんと定めておけば、後から焦ってモノを探すことも、いざという時に探し出せなくて困ることもありません。

やることは、いたってシンプルです。覚えたことを忘れないように「忘れる手前で思い出す」のです。暗記→忘却→暗記の連続を、とことん繰り返していくのです。

と、ここまでは皆さんがやっている基本的なことだと思います。

ここで一つ、僕がおすすめしたい方法は、名付けて**「プレゼン暗記法」**です。この方法は、次項でご説明します。

25 ― プレゼン暗記法

小テストのように出題範囲が狭い場合は無理なく暗記できても、定期テストや資格試験のように覚えることが膨大すぎる場合、すべてを完璧に覚えるのは難しいですよね。

そこで僕が始めたのが**「プレゼンで暗記する」**という方法です。

簡単に言うと、「一つの単元を丸ごとプレゼンする」みたいに、大きなスケールで捉えて、それを口に出して覚えるという方法です。

たとえば、英語の一つの単元には、英単語や英熟語、英文法といった細かい要素がたくさん詰まっています。それらをすべて覚えないといけないと感じると、記憶作業が億劫になってしまいませんか？　物事を断片的に一つ一つ覚えようとすると、覚える「数」や「量」を多く感じてしまいますし、肝心な「内容」も分散的になってしまいます。

ここで少し視点を変えて、もしあなたが「この単元についてプレゼン(説明)してください」と求められた場合、どのように準備するでしょうか? 単語や文法用語をスライドに並べるだけでしょうか? それとも、きちんと物語をつけて、全体を整理して説明するでしょうか?

暗記も同じで、部分的に覚えるのではなく、まるで誰かにプレゼンするかのようにして、「全体を通して覚える意識」が大切です。

たとえ、発表相手がいなくても、目の前に聞き手がいると想像し、部屋でひとり、誰もいない壁に向かってプレゼンするように覚えます。どのような勉強も「他者に教えられるかが大切」といいますが、それを暗記にも落とし込んで、きちんと説明できるかを確認していくことが大切というわけです。

記憶力がある人は必ず、暗記のタネを自分の手で植えています。

英単語を覚えるとき、いつも「語源」をヒントにしていました。古文単語も、ふざけて覚えることがありました。世界史は、物語のあらすじを覚える感覚で暗記しました。

そんな自分なりの工夫こそが、植えるべき暗記のタネなのです。つまらない作業になりがちな暗記を、少しでも楽しくできれば最強です。

26 スマホと上手に付き合おう

スマホって意外と怖いもの

学生はもちろん、現代を生きる人にとって「スマホ」って、お宝みたいなものですよね。ゲーム・音楽・SNSなど、最高の娯楽がたくさん詰まっています。

とはいえ、受験期はスマホとの距離感を考えなければいけません。勉強中に何度もスマホに意識が向けば、集中力を保つことはできません。また、スマホから出るブルーライトは脳の覚醒を促すので、睡眠を妨げてしまいます。ふと訪れる体調不良の原因は、そういったところから来るのかもしれません。スマホは便利な反面、僕たちが思っている以上に怖い存在なんです。

学生の方であれば、親御さんの管理によって、使用時間が制限されている方もいらっしゃると思います。子ども側からすると「もう少しスマホ触らせてよ……」というのが正直な意見ではあるのですが、でも時には割り切って、自分の今後の人生のために我慢することも大切です。

自分の将来をかけた大事な場面なのに、スマホを優先させてしまうようでは、自分の後先を考えられないということですから、その程度の人生になっても後から文句は言えません。自分の人生は、自分で責任を持つんです。

・勉強に集中すべきときは、電源を切るか人に預ける
・集中せざるを得ない場所（学校・図書館・塾・自習室など）に、自分が行く

僕が実際にしていた解決策は、スマホの電源を切ったり、人に預けたりして、誘惑を遮断することです。やっぱり目の前にスマホがあると、誰だってSNSが気になって、ゲームがしたくなって、YouTubeを見たくなります。そうやって、無意識のうちに僕らの心に取り入って、依存させてくるのがスマホです。

だから結局は、スマホの使用が禁止されている場所に行けば勝ちです。学校や塾、図書館や自習室に行って、自分がスマホを使えないように工夫してあげることで、自然とスマホの存在は気にならなくなります。スマホを扱う主導権を握っているのは皆さんです。だから、油断せずに、適度な距離感をとって、上手にスマホを手懐けていきましょう。

スタディウィズミーを活用してみよう

スマホを逆手にとって、「スタディウィズミー」の動画を使ってみるのも、一つの手段だと思います。勉強している人物の様子や風景を見ながら、視聴者さんも一緒に勉強できるのが特徴です。

最大のメリットは、「緊張感」と「安心感」という、相反する二つの感覚を同時に得られることです。つまり、誰かと一緒に勉強することで身が引き締まり、隣で誰かが頑張っていると感じられるから少しだけ安心できるんです。

リアルタイムではなく過去の動画だったとしても、動画の長さははじめから決まっているので、勉強時間の目安として、タイマー代わりに使えるため、受験生の間でも人気です。

自分のやる気を出して、心を気分転換させたい時にぴったりです。集中やリラックスを促す効果も期待できます。だから、無音のときもあれば、スタディウィズミーを使うときも、両方あって良いと思うんです。手札を多く持っておいて、時と場合によって使い分けられるほうが便利で楽しいです。

さらに、時にはこれを「勉強スイッチ」として使うのも良いかもしれません。

たとえば、「机に向かうやる気が起きないから、とりあえず動画を再生してみる」となれば、その動画の音を聴くうちに脳が自然と勉強モードに移り、気付いたときには課題に取り組んでいるかもしれません。そして、無音が好きなのであれば、途中で動画を終了し、無音で集中に移行するというものです。

ちなみに、勉強するときに「歌詞ありの音楽」を再生することは、全くおすすめできません。なぜなら「歌詞として流れてくる文章」と「勉強中に読む文章」が頭の中で同時再生されることで、脳内の記憶処理が追いつかなくなってしまうからです。

pikeのスタディウィズミー動画

27 ― 食事に気を配ろう

人間の体は食べたものでできており、食事の内容で体調や脳のパフォーマンスも左右されます。僕は意識して、脳や体に良い食べ物を摂取してきました。脳に良い食べ物とは、具体的には、次の通りです。

・野菜と果物（リンゴ、ミカン、キウイなど）
・魚介類（特にサバやイワシなどの青魚）や鶏肉
・豆類（特に大豆。納豆は最高の健康食品）
・ベリー類（冷凍のものをヨーグルトに入れると手軽でおいしい）
・ナッツ類（くるみ、アーモンドなど。無塩がよい）

また、おやつは、ラムネや高カカオチョコ、ナッツ（無塩・無添加）がおすすめです。

逆に、消化しにくかったり、体に負荷がかかったりしやすい次のような食べ物は減らすようにしましょう。

・ファストフード
・カロリー爆弾の菓子パン
・大量の揚げ物

すごく個人的な意見でいうと、口に何もないと寂しいという理由だけでお菓子を食べるのは避けたほうがいいです。基本的に間食は避けて、朝昼晩はガッツリ食べるようにするだけで、勉強と食事のメリハリもつきますし、生活習慣を整えることで心身のバランスも良くなります。

どうしても空腹が我慢できないときは、できるだけ、コーヒーや緑茶などの風味がある飲み物で、次の食事の時間まで乗り切るようにしましょう。

ただし、起床後90分以内にコーヒーを飲むと、覚醒ホルモンであるコルチゾールの分泌を妨げてしまうそうなので、できるだけ避けてください。

28　試験本番のマイルーティンを決めよう

僕にとって、これまで過ごしてきた受験人生は、かなり重たい時間でした。もちろん楽しかったこともたくさんありました。だけど、最初は楽しく平気でいたつもりでも、試験本番が近づくにつれて、徐々に不安と緊張が募り始めました。最終的には、食欲すら湧かない時期が続いたくらいです……。

とはいえ、定期テストや模試を通じて、「試験本番のマイルーティン」を決めていたので、試験直前にメンタルを崩すことは一切ありませんでした。緊張することはなく、不安や心配に気持ちを押し潰されることもありませんでした。

①水を飲んで、深呼吸をする
②手を強く握り、さすり、体全体に力を込める
③自分が圧倒的勝者だと思い込む

この方法が皆さんに合っているかどうかは、いざ試してみないと分かりません。もっと言えば、僕が勝手に考えて、勝手に実行していただけのルーティンなので、科学的効果などの裏付けはありません。でも、実際にして良かったことは強く保証します。

試験日程は、人によって変わるとは思うのですが、僕の場合は国立大学の一般型だったので、冬の寒い時期（2月末）に実施されました。だから、体は冷えるし、手はかじかむし、何より脳がうまく働いてくれないので、なんとか身体を温める工夫が必要でした。

そこで、まずは水を飲んで、深呼吸をします。これは自分の呼吸リズムを整えて、集中力を完全に研ぎ澄ませるためです。また、水分をきちんと摂ることで、体の感覚を寒さから取り戻し、意識をしっかり高めます。

そして、次は手を強く握ったり、さすったりして、体全体にギュッと力を込めます。ポイントは、一瞬にかけて、自分の持つ力を一点集中で解き放つことです。これにより、体温は一気に上昇して寒さに打ち勝つことができますし、アドレナリンが出て、脳の働きも活性化されます。また、手を動かすのは、まさに準備運動のようなもので、試験開始の時点から、ペンを握る感覚をスムーズに保つために必要です。

これらを済ませたら、あとは自分が圧倒的勝者だと思い込むだけです。

受験生にとってのお守りは、人それぞれ変わります。たとえば「合格祈願」と書かれた神社で買える護符だったり、家族や知人が願掛けとして渡してくれた手芸品（キーホルダーやマスコット）だったり、何かしらの「物」を試験会場に持ち込んで、それを形見のように握りしめるみたいな行動をするのが一般的だと思います。

でも、僕にとっての最大のお守りは「自信」でしかありませんでした。これまでに勉強してきた時間を振り返ると、たくさんの我慢や努力をしてきた自分がいて、模試でも少しずつ結果がついてくるようになって、誰にも負けない自信がついてきたんです。だから、僕はお守りや願掛けに頼ったことはありません。

そして、少なくとも、自分の席の周りにいる数人は徹底的に見下すくらいに思い込んで、自分が負けるはずがないという気持ちをひけらかすようにしていました。そうすることで、最後まで自信を失うことはなかったし、強い気持ちを保ったまま試験を終えることができました。

なかがき

勉強は、恋愛のようだ

ここまでを通して、シンプルな勉強法について紹介してきましたが、皆さんの環境や心境に、何かしらの変化はありましたでしょうか。

なんだか、勉強は恋愛することに似ています。ある人は一目惚《ぼ》れをし、ある人は、一目惚れをすることなく少しずつ人を好きになり、恋をします。恋人になれるかを緻密に計算してから、恋愛を始めるタイプの人だっています。

勉強の意義を分かっていないまま、とりあえず勉強を始めようとは言いません。なぜなら、勉強が、どれだけ大変な道のりで、いかなる苦労を伴《ともな》うのかを知っているからです。

しかし、一度は試した方が良いと思います。試しもせずに諦《あきら》めると、諦めたことが後悔という名のモヤモヤとなって、心の片隅に残り続けます。

たとえ、恋の痛みや苦しみに気付いていても、まずはその恋を試してみないと、どう発展するかなんて分からないものです。勉強も同じように、たとえ今は得意でなくても、自分なりに挑戦してみたら、いつかは得意になるかもしれないし、あるいはもっと好きだと思えるかもしれません。

僕らには、勉強に挑戦する権利があります。

ロマンスドラマのようなめくるめく大恋愛でなくても、とにかく、人それぞれのやり方で勉強をすれば良いと思います。

挑戦すれば、勉強のキュンとすること、ドキドキすることを身をもって感じることができます。そうなれば、勉強と両想いになれる日がいつしかきっと訪れるはずです。

さて、こんなに人生で最高に「勉強に適した日」は、今日以外にありません。
なぜなら、この本を手に取った今日、たくさん勉強について考えて、色々な情報を知れたからです。もう皆さんの頭の中は、勉強に向かうことでいっぱいになっているはずです。

さあ早速、本を閉じて、勉強を始めてください。

……いや、まだ本のページは続きますが、このあとの内容は「僕が人生で学んできたことについて」なので、勉強の話とはあまり関係がありません。だから、ちょっとした休憩時間や隙間時間に、また続きを覗きにきてくれると嬉しいです。

それでは、勉強が終わった後で、またお会いしましょう！

CHAPTER

5

心の学び

29 人生で最も大切にしていること

人生で最も大切にしていることは、**「自分の心を信じること」**です。

生きていると、うまくいくこともあれば、うまくいかないこともあります。自分の思い通りにいかず、思いもよらぬ壁にぶつかって、周りが真っ暗になって、どうすれば良いのか分からない。なんてことになると、立ち直ることは難しくなってしまいます。

だけど、たとえ良くないことが起きたとしても、「こうなるべくして、こうなった。」と、今の自分を否定せず、受け入れてあげることが大切です。大きな失敗をしても、それを失敗と捉えて悲観するのではなく、そんな自分を含めて自分なんだと、きちんと受け止めてあげてください。

僕たちには、人生の決定権があるわけではありません。たしかに、どの道に進むかを選ぶことはできますが、その先がどうなるかという運命を決めることはできません。だから、結果がうまくいかなかった時、自分を責めてつらくなる必要はないんです。結果は元からこうなると決まっていて、自分はそこに行くための方法を選択しただけです。ここに来ることは、最初から決まっていたと思えば、今の人生に納得できて、安心することができます。

そして結局は、どこに行っても自分次第です。たとえ思い描いていた目的地に到着できなくても、偶然行き着いた場所で一からやり直せばいいんです。誰かに笑われてもいいし、恥ずかしくてもいいし、馬鹿にされてもいいし、傷つけられてもいいです。本当に真剣なら、どこからでも這い上がれますし、必ず復活できます。

人生は何をしてもいいし、何もしなくてもいいです。夢は、追ってもいいし、追わなくてもいいです。だけど、せっかくの一度きりの人生なので、楽しまないともったいないです。自分の心が導いてくれた決定を信じて、運命をたどって行けば、後悔することもないし、ずっと良い気分でいられます。だから僕は、自分の心を信じてあげられる存在でいたいと思っています。

30 どんな思い出も記録に残そう

僕の大学生活は少し寂しくて、親しい友人がなかなかできなくて、一人で過ごす時間が多かったんです。もちろん、一人の時間を楽しめるようになったし、人間として成長する部分が多くあって、これまでの時間に後悔することは一切ありません。

そんな中で、僕の目をいつも輝かせてくれたのは「自然」でした。ふと散歩に出かけた時に見えた青空や夕日の景色は、いつも美しかったです。この美しさを、皆さんの「勉強」という瞬間に落とし込んで共有できたらいいなと思い、スタディウィズミーの動画を作ったりしています。考えていないようで、それなりの想いは込めています。

素敵な自然に出合うと、直接手で触れたり、肌で感じたりしなくても、目で見るだけで感性が磨かれていくような気がして、いつも気分が良かったです。まるで自然と会話するように、一人で思いを馳せて、自然からメッセージを受け取って、感傷的な気持ちになる時間は、いつも退屈だった僕を自然が迎えに来てくれて、優しい世界へ連れ出してくれるようでした。

そして、気が付けば、カメラロールの写真は自然風景ばかりで埋め尽くされていました。海に行って遭遇した波の様子や山を登って見渡した街の景色など、それらはすべて大切な思い出なので、今になっても削除することができません。

僕はこんな人生を誇りに思っているけれど、きっと、皆さんのほうが有意義で充実した人生を歩んでいます。だから自信を持って、家族や友達、恋人との思い出をたくさん記録に残してください。嬉しいこと、楽しいこと、つらいこと、悲しいこと、どんな喜怒哀楽の瞬間も、「生きた証《あかし》」として形に残しましょう。それはいつか見返した時にはじめて宝物になるかもしれないからです。

31 — 褒め言葉を大切にしよう

人生において、誰かに褒められたり、誰かを褒めたりする時間って、この上ない幸せを感じる瞬間だと思います。たとえお世辞だとしても、社交辞令だとしても、褒めるきっかけがないと、褒め言葉って生まれないわけですから。

どんな褒め言葉も、相手にはなくて、心が惹かれるほどの魅力があるからこそ生まれてくるものです。だから、これまでに誰かがくれた褒め言葉は、墓場まで持っていくつもりで、心の中で大切に保管しておきましょう。それくらいに、大きな価値が秘められています。

とはいえ、誰かを褒めてあげるためには、まずは自分に余裕がなければ、褒めどころを探すためのアンテナを張ることはできません。ですから、とにかく最初は自分が輝いて、次は周りを輝かしてください。そうやって、褒めることを通じて、幸せを誰かにお裾分けしてあげれば、より素晴らしいです。

僕はあまり素直な性格ではないので、いざ褒められると「下心があるだろう」「本心ではないだろう」とつい疑ってしまいます。けれど、言葉に「具体性」があると、自分の何かが評価されているのが分かるので嬉しくなります。「あっ、こんなことに気付いてくれた」「自分のこんな部分を見てくれた」となれば、誰もが悪い気持ちにはならないですよね。

だからやっぱり、褒めるということは、相手の良いところを具体的に深掘りすることが大切だと思います。「おいしい」ではなくて「ここがおいしい」とか、「おしゃれ」ではなくて「このどこが可愛い」とか、伝え方に工夫ができたら、より喜んでもらいやすい気がします。

具体的な褒め言葉やお礼を伝えると、実際に仲良くなりやすく、距離がグッと縮まります。だから、この考え方は10代、20代関係なく、大切なこととして忘れないでいたいです。

32 自分らしくいていいじゃないですか

人と関わる上で、自分の個性や特徴、立ち位置や居場所を考えて整理することは、とても大切なことです。そうやって自己分析できないと、人間関係はきっとうまくいくことはないし、立ち回りの仕方を間違えて、損をするのは自分です。

かといって、そんな内省ばかりしているとなんだかすごく疲れますし、とても窮屈です。そこまでして、周りからのイメージと、本当の自分との差に悩みすぎる必要はありません。他人から見える自分と、自分から見える自分は、絶対に違うからです。

同じ物事に対して、価値観のずれが起きるのは仕方ないことです。他人が「かっこいい」と思う矢印の向きは、それぞれあっちこっちを向いていて、無限に交差しています。だから、自分が「かっこいい」と思う方向は、他人にとって「かっこわるい」かもしれないし、また別の人にとっては「どちらでもない」かもしれません。

同じく、自分が「かわいい」と思う矢印の方向は、他人にとって「かわいくない」かもしれないし、また別の人にとっては「どちらでもない」かもしれません。

だから、自分が持つべき矢印は、常に自分の心が向くところに合わせておかないと、いつまでたってもキリがありません。人と出会うたびに方向転換をしていたら、ただの自分迷子になってしまいます。つまり、「自分らしさ」とは、自分の矢印を貫き通すことです。もしあなたが、「自分らしさ」に迷って、自分を見失ってしまったら、この考え方を思い出すようにしてください。

33 フリーライダーにだけはならない

よく学校の班活動で何もしないタイプの人っていませんか？

こういう人を経済学の専門用語では「フリーライダー（free rider）」といいます。頑張る人の船に「ただ乗り（フリーライド）」する人のことです。言い換えれば、あまり仕事に貢献していないのに、成果や利益だけを持っていく、自分勝手な人のことをいいます。

大学の授業でも、そういうサボり魔っぽい人ってたくさんいるものです。

たとえば、これは僕の経験談ですが、ずっと欠席続きの同級生がいて、ＬＩＮＥで呼んでも来ることは一度もなかったのに、発表本番の当日だけ学校に来ました。そして、僕と班のメンバーが丹精込めて仕上げた発表原稿を淡々と読み上げたのです。けれども、担当の先生は、「班単位で評価します。」と僕らに告げたので、なんとも不愉快な気持ちになりました。

そして、その時ふと思いました。

人生で一番得をするのは「フリーライダー」なのではないかと。

そこで、自分も「フリーライダー」になろうとしました。それは「怠け者」という意味ではなく、「サボり上手」という意味での話です。自分を愛するには、目の前にある作業から目を背け、たくさん休んでみるのもよい方法なのではないかと。ひたすら現実から逃げて、サボって、そうすればきっと好きなだけ楽に生きていけるのではないかと考えたのです。

しかし、そんな生き方から得られるものは何もなくて、面白くも楽しくもありませんでした。

何より、美しくありませんでした。

だからこの時、現実逃避の最終回とすることを決めました。


サボるのは三流。

サボるのを羨むのは二流。

サボりの穴を余裕で埋めてしまうのが一流。


これは、今の僕が勉強や仕事に向き合う上での座右の銘になっています。

34 運も実力のうちだ

「運気の上げ方」とインターネットで検索してみると、占いや風水のページばかりが表示されて、これを誰が信じるのかなと疑ったことってありませんか？

とはいえ、「運は自分で掴む」とか「幸せは自分で獲得する」という話は、この世に存在していると思います。たとえば、有名な風水に「玄関の靴を毎回揃える」というものがありますが、それを少しずつ習慣化していくと、今までできなかった家事ができるようになったことに喜びを感じます。すると、ズボラだった自分が、少しだけ真面目に変わることができて、「次は○○してみよう、その次は○○してみよう」という前向きな気持ちになります。

そして、今までの自分では不可能だったはずの**「小さな経験を積み重ねていること」**に気が付きます。そんな真面目な自分でいられることが嬉しくて、いつしか幸せな暮らしができてくると、まさに、運気を自分で掴んだことになるのかなと思います。

だから、日々の小さなことから目を逸らさず、マメに物事をこなしていく人は、運気が高まっていくし、そういった人にだけ、「運気」という言葉がつぼみとなり、花を咲かすのだと思います。

35　普通じゃない自分を愛そう

皆さんは「普通」という言葉にどのようなイメージを持つでしょうか。

一般的。常識。平均。多数派。日常にありふれた一つの言葉「普通」は、当たり前のように使われますが、深い意味を明確に示すわけではありません。しかし、人は何かを選択する時、いつも「普通」を基準にします。

しかし、常に「普通」を人生の物差しにしていると、自分の本当の気持ちを押し殺すことになります。誰からも受け入れられるのが「普通」なのかもしれませんが、それに頼ってばかりだと、本当の自分を見失ってしまいます。

僕がYouTubeを始める時も、始めてからも、「普通ではない」という心配が頭をよぎりました。同級生や友人に知られて「変なやつだな」と思われる恐怖心のような感情がずっと胸の奥に眠っていました。そして、今もなお、その怪物は心のどこかに潜んでいるけれど、どこにいるのか分からないくらいに気にすることはなくなりました。**なぜなら、普通ではない自分を愛せるようになったからです。**

もちろん、公共のマナーやルールを守ることは重要です。時には、普通の選択肢を取るほうが気楽で安全です。しかし、そんな周囲の考えに飲まれるほど退屈な人生はないし、普通を人生の逃げ場にしてはいけません。

「あなた、普通じゃないね。」

これは褒め言葉です。普通でないことは素晴らしいことです。これは僕が保証します。工場で大量生産されるロボットじゃないんですから、他者と違いがあるからこそ、人には魅力が生まれます。周りと違ってなんぼです。

この世には、100パーセント「普通」の人間なんて誰一人として存在しないのです。

36　父親も弱かった

時折、将来について深く考えます。たとえば、「この先結婚できたら大切な子が産まれるのかな」とか、「自分はいつか父親になれるのかな」とか、「それとも、独身人生を謳歌していくのかな」とか。

僕の父親は口数が少なく、物静かで、子どもと遊ぶ時間を大切にする人でした。だから、普段は「勉強しろ！」なんてことは一切言わず、むしろ「勉強ばかりしても意味あるの？」みたいな愚痴をこぼす不思議な考えの人だったのですが、どうやら会社に高学歴なのに仕事が遅い部下がいたそうで、なかなか馬が合わなかったらしいです。

ある日父は、成人を迎えた僕をドライブに連れ出してくれました。

大学卒業後の進路に不安があった僕は、運転席に座る父に、「仕事の悩みとかないの？」と尋ねてみました。すると、父は「もともと努力できる性格じゃないし、自分の人生に義務や使命を感じて頑張れるタイプじゃないから、ずっと無理をしながら、自分なりに仕事をしてきたけど、やっぱり息が詰まることがある」と言い、「だから、おれの趣味は、自然を感じて、のんびりすることなんだ」と話してくれました。

この時、人生で初めて、父親の弱さに触れた気がしました。というのも、会社で働けば、嫌いな上司や部下と関わる時があるのに、職場の話はほとんど家に持ち帰ってくることはなかったんです。それでいて、毎日のように朝早く家を出て、彼は夜も平然と帰ってきます。仕事に対して良い影響や結果は求めないけど、とりわけ私生活をきちんと営む父の姿には、人としての弱さを感じたことはなかったんです。

この日、父はキャンプを体験させてくれました。アウトドアを楽しんでいる間は意識しなくてもスマホを触らなくなるし、世の中のすべてから解放されて、肩から重い荷物をおろしたような気分になります。そうやって、自然いっぱいの空間で、のんびりと過ごす時間には、人間が生きるための本質がすべて色濃く詰まっているようでした。

皆さんにとって強いと見えがちな人でも、どこか見えない裏側で弱さを抱えているのかもしれません。そうやって、あなたに見えないどこかで戦っているのかもしれません。

37 — 母親の想いを初めて知った

「子育ては、私が自分で自分を育てなければいけないことだった。」

これは、母に貰った大切な言葉なので、皆さんにもお話ししておきたいです。

僕がまだ中学生だった頃、とある授業で「母親に人生のインタビューをしてみよう」という課題が出されました。そこで、母親に「人生の苦労」について聞くことになったのです。どうやら母がこれまでに最も苦しかったのは「孤独感」だったそうで、結婚して嫁ぐときに地元を離れ、知人が一人もいない土地に引っ越したと聞きました。

子育ての大変さや子の可愛さとは裏腹に、母の世界には〝夫と子〟しかいなくて、世間から取り残されて置いていかれる気分だったといいます。義実家では親戚と仲良くしなければならず、初めてのママ友関係も大変だったそうです。

当時の僕は、母親の偉大さを理解していませんでした。母が「孤独」に悩んだことを知って、初めて寄り添いたくなりました。知り合いが一人もいない地に引っ越して、どんなに辛くても立派に子を育てることはいかに大変だったか、今は何となく分かる気がするからです。

とある有名な作家さんは、「最大の親孝行は、母親に母の日を忘れさせることである。」と表現しました。なぜなら、母親が母の日を忘れるということは、母親が母親の自覚を失うということで、それはつまり、自分の子について思い悩むことがなくなるということだからです。

しかし、僕はそうは思いません。彼女に「母親」という人生の功績を忘れさすことは、彼女の最も勇敢な過去を打ち消すことに等しいからです。それなら素直に最後まで「ありがとう」と恩返しを続けたいですし、会うことに遠慮してばかりだと最後に後悔するのは自分だから、「母親でいてくれてありがとう」と伝えることが最大の親孝行だと思っています。

そういったこともあり、もし自分が「夫」や「父親」の立場になったとき、最も大切にすべきことは何かなとよく考えます。今の僕は、「奥さんに孤独を感じさせないこと」が重要ではないかと思います。でもこれは、きっと正解ではありません。本当の正解は、大切な相手に直接、さりげなく聞いてみないと分からないですね。

38 — 自分を綺麗に染めてくれる人を選びなさい

人は、周りの色に染まりやすいということを忘れてはいけません。

立ち振る舞い、態度、生き方、価値観、姿勢、言葉遣い、身だしなみ、どんなことも周りの影響を受けやすいし、一度染まってしまえば、なかなか塗り替えることはできません。付き合う人はきちんと選んで、尊敬できる人たちで自分の周りを固めましょう。

人それぞれ、友人関係を築くために大切にしていることってあると思うんです。たとえば、お互いをリスペクトし合えるとか、相手に嘘をつかないとか、価値観を認め合えるとか、きちんと人付き合いの「ポリシー」みたいなものは皆さんにもあると思います。

もちろん、交友関係が広くて、遊びに誘われたらどこにでも行けるような性格でいられたら、人間関係はもっと気楽になるのかなと思うことはあります。でもやっぱり、礼儀がまったくないような人や、互いに尊重し合うことができないような人とは、「今だけ」の関係にしか発展しない気がして、仮に長続きしても自分が損をするだけなので、付き合う人はきちんと選ぶようにしています。

謙虚な姿勢も大切ですが、人間関係を徹底管理するのは、僕なりの「ポリシー」です。

自分が付き合う人を選ぶことに、性格の良いも悪いもありません。**自分を色褪《あ》せさせてしまうような人よりも、綺麗に染めて、彩《いろど》ってくれるような友人を、一生をかけて大切にしたいです。**それくらいに潔いほうが、人間関係は気楽になりますし、本当の意味で充実した関係を築くことができると思います。

39 ― 幸せになるために忙しい

突然嫌なことを言われたり、悲しい発言を浴びせられたりしても、そんな言葉に耳を傾けていては時間がもったいないです。

たしかに「人のことを気にするな」とか「人の意見を気にするな」なんて言われても、結局人間だから、気にしてしまうものだし、勝手に落ち込んでしまうものです。だけど、どうか自分のやるべきことに集中してください。自分のために。大好きな人のために。行動し続けてください。皆さんの大好きな推しやアイドル、俳優やアーティストの方々は、応援してくれるファンのために活動してくれています。いつもテレビに映って、僕たちに見せてくれる表情は明るくて、素敵な笑顔です。

これはあなたも同じです。小さなことを気にしていられるほど暇ではないのです。

あなたは、幸せになるために忙しい！

ねこにめちゃくちゃこき使われる…
だけど僕は幸せだ。

40 仲間はずれに気をつけて

三人で会話をしていると、どうしても時々「二人と一人」に分かれてしまう瞬間が訪れます。二人だけが楽しそうに会話しているのに、一人だけが話題についていけない状態のことです。

当たり前のことですが、誰かを仲間はずれにしてはいけません。大人数でいるときに、一人で困っている人を助けられるように行動できる器が大切です。「心の救世主」とまではいえないかもしれないけれど、そんな気遣いができる優しさと余裕を持ち合わせた人は、世の中になかなかいないので本当に素晴らしいと思います。

「三人で遊んでいるのに、二人にしか分からない話をしてはいけない」

大人になってもずっと大切にしていきたいことの一つです。

僕はもともと気配りができるような性格ではありませんでした。ただ、この仲間はずれを経験した時、ものすごく悲しくて哀れな気持ちになりました。

会話の中に入れない。一人だけ置いていかれる。まるで、透明人間になったような気分でした。大げさではなく、現実はそれくらいにつらい状況でした。

だけど、人は一度傷つくと優しくなれるものです。もともと気配りができない性格の僕でさえも、複数人で会話する時に、誰も透明人間にならずに済むように工夫ができるようになりました。

「自分が受けた傷は、他人《ひと》に与えない」

これを心に誓うことで、今日からあなたも「心の救世主」です。

41 ― 妹に学ばされること

皆さんには、兄弟姉妹がいらっしゃるでしょうか。

僕には、かなり歳が離れた二人の妹がいるのですが、それほど歳が近くない分、喧嘩《けんか》したことがほとんどありません。というより、一度もないかもしれません。

兄弟姉妹は揺らぐことのない最大の人脈なので、今あるつながりをとことん活用しないのはもったいないですし、信頼関係をつくるには、どちらかが余裕を持って歩み寄ってあげないといけません。その一歩目を先に見せてあげるのは、兄の役割だと考えるようにしています。

そして、兄妹水入らずの関係を築くなら、お互いに手を貸し合うことができれば十分だと思っています。無理に仲良くするのではなくって、気軽に相談できて、本音を言い合えるような関係です。ちょうど良い距離感を保っていれば、お互いに干渉し合うこともないし、邪魔に思うことも思われることもありません。

最近になって、妹のことを考えてみると、「よくやっているな」と思うことが多々あります。学校の成績も、生活習慣も、行動力も、忍耐力も、YouTubeのことも、気が付けば、教えることよりも教わることのほうが多いです。だから、頭が上がらず、なおさら衝突することがありません。

そして、妹が普段から大切にしている考え方があるのですが、兄である自分でなくても、多くの人の心に響く気がしたので、ここに書いておきたいと思います。

無理に「普通」にこだわらなくていい。
そうすれば、新しい自分に出会えるかもしれない。

42 人生の反省文

これは、僕の僕に対する反省文。だけど、誰かのためになるかもしれない反省文。

僕はあまり本を読まずに育ちました。というより、本を読もうとしてきませんでした。そのせいか、この本を書くときも語彙《ごい》力の不足があって、言いたいことがあるけれど文章にできないという混乱が何度かありました。

本は、言ってほしい言葉を、言ってほしい表現で伝えてくれるものです。それを読み込むことで物事の見方を少し変えれば、見える世界もたちまち変わっていきます。だから、もっと本を読んで、色んな人の考え方を学んでいたら、人生の困難に直面した時に、その人の考え方に自分の心を重ね合わせることで、精神的に参らずに困難を乗り越えることができていたかもしれません。

だけど、僕は本を読まなかったから、心が折れてしまった時になかなか立ち直ることができませんでした。この本の冒頭でお話ししたように、僕の過去には「人生の空白期間」がありました。この時は、暗闇の世界を必死にもがいて生きていたから、心はズタボロに深く傷を負い、死んでもいいと思ったこともありました。時間が薬になるという言葉を信じて、月日が流れていくのを待ったけれど、本を読めば待たないで済んだかもしれません。

大学生になって、やっと読書をするようになって、たった数行の文章が、僕の心を救ってくれたことが何度もありました。素敵な言葉を見つけるたびに、線を引いて付箋を貼って、忘れないための工夫をしました。それをもっと早くからやっていたらどんなに良かっただろうかと、今でも後悔することがあります。

これまで本を読んでこなくて、自分の心を助けられなくてごめんなさい。
だけど、元気になれてよかったです。本当によかったです。

43 孤独は人生の条件だ

僕は大勢の人が集まるところになるべく行きません。パーティに誘われても断りますし、それほど深い意味がなければ、飲み会への参加も遠慮します。なんとも付き合いが悪い人間というわけです。

しかし、付き合いが悪い本当の理由は、もともと社交的ではなく、大勢の人と会うのが苦手だからで、さらに言えば、人間が生きる条件は「孤独」だと思っているからです。

人は人と関わり合って生きていますが、恋人だろうと家族だろうと、ぴったり、一つになってはいないものです。頭と心を使って何を考えるかで、その人の行動や生き方が決まりますが、思考は、誰かと一緒にはできません。感じる、思う、考える、選ぶ、決めるといった人生の根っことなる心の中の出来事は、ひとりでしかできないという事実を、潔く認めなければいけません。**だから僕は、孤独であることを人生の条件として受け入れています。**

もちろん、ひとりでいることが心地よい僕にとっても、孤独はいつも味方でいてくれるわけではありません。時には寂しく、心細く、怖いといった感情に心をえぐられることもしばしばです。そこで、かつては孤独を誤魔化すために人と会ったり、仲間と騒いだりすることがありましたが、それは寂しさを一時的に晴らすことができるだけで、結局は、ひとりに戻ったらまた孤独を感じることになります。

よく「おれはぼっちだから」とか「陰キャだから」とか言う人がいますが、そもそも、根本的にはみんなひとりだし、みんな孤独で頑張っています。だから、あたかも悲劇の主人公かのように、孤独を悲しんだり、嘆いたりするのは違います。

だから僕は、人は孤独でいるのが当たり前だと認識し、その上でどう孤独と向き合うかを考えるようにしています。すると、不思議なことに、いつもひとりでいる自分を認めることができて、ありのままの自分に心の余裕が生まれるので、かえって他者との関係が上手くいきやすいです。

年齢や性別は関係ありません。孤独であることは、人生の条件です。

44 — もしあなたがこの先本当に「ひとり」になったら

「ひとりぼっち」ではありません。「孤軍奮闘」するのです。

45 — 怒られてもメソメソしない

上の立場の人に怒られて、反省して、メソメソする時間ほど、無駄な時間はありません。そこから立ち直る時間が短ければ短いほど、勝ちです。逆に、ずっと泣いていたら、負けです。

誰かに怒られても、たいして気にする必要はありません。もちろん、きちんと反省して、怒られた言葉から学びを得るのは良いことですが、理不尽な意見に飲まれないでほしいです。変に説教を聞きすぎて、自分という人間が崩れないようにしてください。

楽しく生きたいのなら、メソメソしていてはいけません。

46 ― スルースキルを磨いて

真面目で優しい性格の方ほど、相手を理解しようとして、理不尽な相手に感情を持っていかれやすいです。でも、相手が歩み寄ろうとしなければ、お互いを理解し合うことはできません。あなたの優しさだけが一方通行したところで、相手の心の矢印がこちらに向いてくれないと、分かり合うことはできません。だからこそ、自分の人生において、不要だと感じた人物とは、バッサリと関係を切っていいです。それだけで、ストレスの大半は軽減されます。

ただ、縁を切りたくても切れない関係の人もいるでしょう。自分にとってその付き合いに価値がない場合、そこに時間や労力を割いてストレスをくらうのは本当にもったいないです。そういう人に出会っても、感情のスイッチをオフにして、話を左から右へ受け流す状態に切り替えましょう。そうやって、**自分の「スルースキル」をきちんと磨いておくことが大切です。**

もし、あなたが優しくて、人の気持ちを汲《く》み取ることができるなら、自分の気持ちはもっと汲み取れるはずです。だから、**相手ばかりを気にかけるのではなくて、自分にも優しくしてあげてください。**

そして、嫌いという感情の行先はどこにもありません。だから、理不尽な相手と同じリングに上がって、ファイティングポーズをとった時点で、そこに時間や労力を割いているので負けみたいなものです。理不尽な相手は理不尽な性格なので、僕らの言うことをそう簡単に聞いてくれるはずがないです。

だから、もしあなたが、誰かに対して許せない恨みや憎しみを持っていても、その気持ちは、今すぐ「無関心」に置き換えましょう。「好き」の反対の感情は、「嫌い」ではなく、「無関心」です。たとえ嫌いという感情を抱いても、興味や関心を一切持たないまま完全スルーしてください。

カンカンカン！（ゴングの音が鳴り響く）

スルーしたあなたの完全勝利です！

47 猫を褒めて、犬を悪く言わない

よくある「猫派？　犬派？」という質問が出されたら、皆さんはどう答えますか？

この時に、「猫はかわいいけど、犬はかわいくない」とか、「犬はかわいいけど、猫はかわいくない」とか、片方を褒めるための比較対象として、もう片方の悪口を言うのは良くないと思います。それなら、自分の好きな方だけをとことん褒めていたらいいじゃないですか。なんなら「犬も猫も好きだよ」でよくありませんか。

話を突き詰めすぎたかもしれませんが、僕が言いたかったことは、相手を下げて自分を良く見せようとすることは、あまりにも情けないということです。もし恋愛においても、そういう男性をかっこいいと思う女性がいたら、僕はどうかと思うし、逆に、そういう女性をかわいいと思う男性がいても、どうかと思います。気に入らない相手がいるのなら、黙ってそいつをぶち抜いていく人が一番かっこいいです。

実力は口先ではなく、行動で示すものです。誰かを持ち上げるために誰かを貶《おとし》めるのは、やめてください。ましてや、自分を持ち上げるために、他人を貶めるのはもってのほかです。誰かを褒めるための言葉で、別の誰かが嫌な思いをするのは違います。

48 人生にも「波」があっていい

僕の大好きな芸人さんが、テレビでこう言っていたのを思い出しました。

「浮き沈みのない人生は面白くない。トークのネタにならないし、ウケない。」

この言葉のように、人生は、成功続きの取り繕った話ばかりじゃなくていいと思います。恥ずかしい過去や壮絶なエピソードがあるからこそ面白いのが人生ですし、本当に慕われやすい人は、自慢や壮語《そうご》をしません。自分を派手に着飾ることなく、自分が沈んだ過去を正直に伝えます。

本や映画も同じです。

世代を超えて愛されてきた作品には、必ず暗い過去の描写があって、徐々に明るい未来を繰り広げていく展開があります。そういった起承転結があるからこそ、物語は成立するんです。だから、もし、いま現在を生きて自らを責める方がいるのなら、世代を超えて愛されてきたものには必ず、「沈んだ過去」があるということを、今一度ここでお伝えしたいです。

人生には、たくさんの波があっていいです。浮く時もあれば、沈む時もあります。激しい時もあれば、静かな時もあります。自分が辛いと感じてきた過去をそっと胸の奥にしまっておく価値はあるので、それをいつか胸を張って人に話してみてください。

それを聞いた人が、あなたの話に心を救われるかもしれません。

だから僕は、人生には多くの波があるほど価値が高まる、と考えるようにしています。

49 ― 自分の人生の主人公は、自分だ

自分の人生の主人公は自分でしかありません。自分がかっこいいと思えたらそれでいいんです。それで、他の人がかっこいいと思ってくれたら、もっといいんです。ただそれだけの話です。

この日は、のらりくらりと自転車を漕《こ》ぎながら、閑静な街中をサイクリングしました。できれば自転車ではなく、男のロマンが詰まったスポーツカーに乗りたいなと夢見たことはありますが……ちょっと待て、自転車には男のロマンは詰まっていないのか？　自転車で走る時間は幸せじゃないのか？　そもそもスポーツカーのような高級車は、今の自分の身の丈に合っているのか？

期待に満たない自分の姿だって、決して悪くはないと思えてからは、不思議と幸せを感じられることが多くなりました。こんな場所にまで幸せが隠されていたのかと思うほどに。

50 批判はガソリンに変えよう

YouTube活動は、「好きなことで、生きていく。」がテーマだからか、楽しそうだし、楽そうだなと思われやすい気がします。でも、やっている側としては、そうでもないぞ? と感じることがあります。なぜなら、SNS活動に「批判」はつきものだからです。

ネットの世界とはいえ、見ず知らずの人から、毎日のように言葉のナイフを刺されるのって、普通に怖いことですし、できれば、やめてほしいです。自分のベストを出したつもりで仕上げた作品に対して、的外れな意見がくるのってなんだか悔しいです。

でも、そんなことが日常茶飯事のように続くと、多少なりは「批判」があってもいいのではないかと、最近は考えるようになりました。というより、批判がゼロになることはあり得ないし、真《ま》に受けていたらキリがないので、とにかく一度でいいから、きちんと批判に向き合ってみようと思ったんです。そして、批判をガソリンに変えようと決めたんです。

いつだって批判が来る時は、言う人が脇役で、言われる人が主役です。

だから、こうして意見をいただける環境に幸せを感じていますし、心の底から感謝するようにしています。この先もずっと、僕の頭上で色んな言葉が飛び交うかもしれないけれど、大好きな動画投稿はできるだけ長く、あわよくば死ぬまで続けていきたいです。もちろん、YouTubeはいつなくなるか分かりませんし、僕の夢は弁護士として社会貢献することなので、いつか終止符を打たないといけないかもしれないけれど、僕はやれるところまで、自分なりに楽しみながら頑張ります。

皆さんにも、批判が来ることがあれば、すぐにガソリンに変えてください。そう考えるだけで、誰よりも強く、たくましく、人生を駆け抜けることができます。

51 嫉妬《しっと》はやめて、幸せになろう

類を見ないほどの美男美女のカップルが結婚して、大金持ちになって、莫大な資産で豪遊している様子を見ても、僕たちは本当の嫉妬心を抱くことはありません。なぜなら、そこには越えられない壁があり、越えるどころか同等に並ぶことすらできないと分かっているからです。

嫉妬という小さな戦争は、似たレベルの人間どうしでしか起きないので、「どんぐりの背比べ」のようなものです。だから、もし僕があなたを羨《うらや》ましいなと思っていたり、逆にあなたが僕を羨んでいたら、みんな、どんぐりです。

そんなことはさておき、人は嫉妬をするとき、相手を自分と同等か格下のレベルとして見ています。だから、自分よりイケすかないと思っていた相手が、自分よりイケてるようになると、まだ俺はあいつよりマシだ、まだ私はこいつよりマシだと、意地を張ってしまいます。つまり嫉妬しやすい人は、単なる意地っ張りなどんぐりにすぎないです。

もし、そんな僕らのことを高い場所から見ている人がいたらどうでしょうか？　先ほど登場した美男美女のカップルがタワーの上に立って高みの見物をしながら、シャンパン片手に僕らを笑いものにしていたらどうでしょうか？　これほど恥ずかしく、薄情なことは他にありません…。

だから、嫉妬はやめよう。憎むより、愛し合おう。遠ざかるのではなく、自分から近づいてみよう。

嫉妬をやめれば、僕らはもっと幸せになれる。

52 第二の故郷をつくっておこう

突然ですが、皆さんに「好きなこと」はありますか？

自分だけの「好き」を多く持ち、常に心の拠り所とすることで、毎日を楽しむきっかけになります。たとえば、本でも映画でも、推しでもペットでも、漫画でもゲームでも、なんでも良いです。片想いの相手でも、恋人でも、本当になんでも良いです。

「好き」の気持ちがあるからこそ、一日を過ごすのも幸せになりますし、それをモチベーションに人一倍努力できるようになりますし、明日が来るのもまた楽しみになります。

あなたの「好き」はいつまでも、あなたが帰ることのできる「故郷」のようなものです。もし辛いことがあれば、帰る場所なんて、家族じゃなくても、友達じゃなくてもいいんじゃないかなと思います。

それくらいに、自分の「好き」をずっと大切にしてください。

53　三日坊主になっても大丈夫

僕がまだ中高生の頃、継続することが苦手だなと感じることがあって、そんな時にふと見つけた本にあったのが「少しずつ継続期間を延ばしていけばいい」という考え方でした。たとえば、まずは「一日」から始めてみて、次は「一週間」、その次は「一ヶ月」と、徐々に期間を延ばしながら継続に慣れてみようというものでした。

しかし、そのアドバイスを参考にしても、最初は「しよう」と意気込んで始めたはずなのに、いつの間にか「しなければいけない」という重圧を感じてしまって、勉強も、日記も、読書も、三日坊主のまま終わってしまうことが多かったです。

だけど、ようやく今になって気付いたことがあります。

それは、「一度やめてもまた戻ってこられる」ということです。たとえば、勉強にしても、日記にしても、読書にしても、一日空けてしまったくらい何も悪いことはありません。むしろ空白期間はあっていいから、その代わり、いつかまた戻ってこればいいだけなんです。だから、いつも自分が三日坊主になりがちだったとしても、ガッカリする必要はありません。**大事なのは、「もう一度、帰ってくること」です。**

そもそも「三日坊主」は、山での修行に耐えられず、三日で還俗《げんぞく》（下山して世間に戻る）してしまったお坊さんのことをいいます。彼らは一度やめたら、二度と帰ってこなかったのです。だけど、僕とあなたは帰ってくることができます。

いつでもどこでも、堂々と帰ろう。
僕らには、帰りを待ってくれる場所がある。

54 ― 悩みはきちんと相談しよう

平気で何もないふりをしていると、本当は大丈夫ではないのに、心がパンクしてしまうかもしれません。それくらいに心の余裕がなくなると、月が真っ暗にしか見えなくなるし、星の輝きを感じることができません。気楽に話せないことは無理して打ち明ける必要はないですが、悩みや不安の行き場がなければ、あなたの心はいつか大変な状態になってしまいます。

きっとそういう時は、誰かが肩を叩いてくれたら涙が溢れます。誰かが優しく背中をさすってくれたら、きちんと涙を流せると思います。だから、すべてをさらけ出して、信頼できる人に相談してみてください。そこで生きる証《あかし》を示すように、胸を張って、目いっぱい叫ぶようにして、自分の気持ちを外に出してください。

そもそも悩みを持つことは、明日がある人にしかできないことです。何かに対して、心配や不安を感じることは、明日へ進もうとしている合図です。たしかに、それを乗り越えるハードルはあるかもしれませんが、それを乗り越えたらきっと楽になれるし、逆に、それを乗り越えないと一生解決はできません。

人生は、泣いて、転んで、起きて、また泣いて、そうやって大人になっていくものです。泣くことを我慢するのではなく、一度でいいから、泣いてみたら進んでいけるかもしれません。

55 ― 人生に革命を起こそう

この先の人生で決断を下すのに迷う時がきたら、一度「あえて」という言葉を自分に言い聞かせてみましょう。どんな様子見の状態でも、「あえてこうするんだ」と決意表明することで、自分の最終的な選択に、安心・納得できるようになるからです。

もし迷いごとをしていて、「あえて」と理由をつけても選ぶ勇気がなければ、その選択肢はあなたにとって重要なものではありません。人生の分岐点に立ったときに、それだけの覚悟がなければ、革命を起こす必要はありません。だから、「あえて」選ぶ勇気があるなら、自分の選択にしっかり自信を持ってください。きっとうまくいきます。

いいですか。こうなりたいと決めた自分に今日からなるんです。誰かに許可を得たり、説明を挟んだりする必要なんてありません。「あえて」なりたいと決めたその瞬間から、もうあなたの人生は大きく動いています。そうやって、自分で自分に革命を起こすんです。

56 ― 絶対に口にしない言葉

たとえどんなことがあっても、僕は人前で「めんどくさい」という言葉を口にしません。これは中学生の時から続けていることです。この言葉を聞いて幸せになる人は誰もいないからです。

不思議なことに、言葉は口に出すと現実化しやすいですし、それによって気分も左右されやすいです。だから、ポジティブな発言を繰り返していれば前向きになれますが、ネガティブな発言をしていると、やる気が下がって、行動も遅くなってしまいます。

とはいえ、あなたの行動を邪魔する言い訳を、いきなりやめることって結構難しいことです。なぜなら、背中についたホコリと同じで、自分の言い訳は自覚していないことが大半だからです。そのため、言い訳をやめるには、まずは言い訳している自分を自覚することが、解決の第一歩となるわけです。これに慣れてくれば、口に出す前に、「あ、今の私は言い訳をしようとしている」と自分で気付くことができるようになります。

たとえば、かつての僕は、数学に苦手意識があって、「自分は数学が苦手だ」というのが無意識のうちに口癖になっていました。そこで、「数学が苦手なのではなく、勉強の仕方が分からない」と言い換えるようにすると、数学の勉強を優先するようになり、その結果、テストの点数が伸びました。そして今となっては、数学は得意科目です。

普段何気なく使われがちな「めんどくさい」という言葉は、あなたの腰を重くするだけで、メリットは何一つありません。それを発言したからといって、かっこいいこともないですし、かわいいこともありません。自分を甘やかすための言い訳はいつかやめないと、ろくな大人にはなれないと思います。言葉には、それくらい大きな力が宿っていることを忘れてはいけません。

57 登山の思い出から学んだこと

幼い頃に山に登っていて、父に言われたことを思い出しました。

「登る時は前の人を見てはいけない」
「頂上に登る時に大切なことは、自分のペースをきちんと維持すること」
「自分の足をすくわれないように注意する」
「登山に競争はないから、速すぎることも遅すぎることもない」

人生で初めての登山体験は、僕にとって、単純なアウトドアの経験ではありませんでした。標高わずか数百メートルの小さな山でしたが、その道中で学んだことはとても奥深かったです。到達した頂上から見えたのは、足元に広がる壮大な街の景色でした。それは、過去に誰かが見たことのある景色だったかもしれませんが、僕にとっては、何よりも特別な光景に見えました。すべてがどうでも良くなって、自分の足の力で登ってきたことが誇りに思えました。

58

雨の日も楽しまないともったいない

雨の日がたくさん続くと、憂鬱《ゆううつ》な気分になりがちです。もしあなたの気分が、雨のせいで下がっているのなら、外が雨で良かったと思える曲を聴いてください。せっかくの雨の日も、楽しまないともったいないです。

59 — 将来やりたいことが見つからないという方へ

「将来やりたいことを見つけるにはどうすれば良いですか？」という質問を、よく視聴者さんからいただきます。生きていれば一度はぶつかる悩みの一つですよね。やりたいことが見つからないからといって、自分だけが遅れているなんて思う必要はないですし、気後《きおく》れすることもありません。

こういう悩みを持っている方は、やりたいことを探すにあたって、まだ「知識」が足りていない状態なのだと思います。自分がやれることを選ぶためには、そもそも幅広く物事を知っていないと、何をするのかという選択肢すら生まれません。だから、まずは色んな物事を知って「知識」を蓄えるところから始めましょう。

ただ、僕はこれを100パーセント達成してきた人間かといわれると、全くそんなことはないので、今も、弁護士になるための勉強をしながら、YouTubeをしながら、まだまだ自分にやれること、自分がやりたいことを探し続けています。毎日が宝探しです。地図があれば簡単ですが、そうすぐにはたどり着かないものです。

やりたいことは自分から探しに行くものなので、ただ待っているだけでは、向こうからやってくることはありません。だからまずは、目の前のことを一生懸命やらないと、何も始まりません。

目の前のことすら何もできないのに、やりたいことが見つからないと泣くのなら、それはあまりにも贅沢《ぜいたく》だと思います。砂浜を一つも掘らないで、洞窟《どうくつ》に一歩も入らないで、宝が見つかるわけがありません。

さあ、今日から自分の手で色々な場所を探す旅に出てみましょう。本や雑誌を読んで新しい情報を発見したり、趣味の幅を広げて色んなことに挑戦したり、意外とやることってたくさん落ちているものです。

だから、もしあなたが「やりたいこと」を見つけたいのなら、まずは「やること」を片っ端から拾ってみてください。そして、「やれること」の手数をたくさん増やしてください。そうすればきっと、本当に「やりたいこと」に出合える日がやって来ると思います。

あとがき

ついに本書もエンディングとなりました。ここらで内容を締めなければいけないことに寂しさを感じますが、ここまで読んでくださった皆様には、本当に感謝の気持ちでいっぱいです。心の底から、いつか直接お礼がしたいです。

本書をご愛読いただき、本当にありがとうございました。

内容には色々なご意見があるかもしれませんが、ぜひＳＮＳやネットショップ、読書レビューサイトなどにて本書のご評価をいただけると嬉しいです。なぜなら、皆様からいただく言葉のすべてが、僕にとって新たな学びの一つとなるからです。

「本を書いてみないですか？」

この依頼が来た時は、「勉強法の書籍化」が主な内容でした。どのように勉強すれば点数が上がるのか。試験に合格するために必要なことは何か。pikeチャンネルの独自の勉強法について本を書いて、学生の皆さんに伝えてみないか、というものでした。

しかし、僕にとってペンを動かすことだけが「勉強」ではありませんでした。これまでの人生を歩んできて、日常生活で困ったこと、人間関係に悩んだこと、心を維持できなくてつらかった経験がたくさんありました。だからこそ、机にかじり付く勉強に固執するような本ではなくって、誰かの心に寄り添う、優しくて温かい本にしたかったんです。

とはいえ、いざ執筆を始めてみると、言葉選びが難しく、ここまで仕上げるのに何度も頭を悩ませました。まるで好きな人に手紙を書く時のように、文字の書き消しを幾度となく繰り返しました。これまでの人生でラブレターを書いた経験はないですが、なんだかそれに近いような感覚になった気がします。それくらい、言葉一つひとつに特別な想いを込めました。

まさに今、本書が皆さんの手元にあるように、一度でも目を通してもらって、ここまで時間をかけて読んでもらい、皆様の人生にほんの一ミリでも関わることができたなら、それ以上求めることは何もありません。さらに言えば、誰かの人生を支えられたなら、僕の一番の願いが叶ったようなものです。

……最後に。

いつも皆さんがYouTube上に書いてくださるコメントが、僕というひとりの人間を支えてくださっていることを忘れないでください。同じ空の下で、海を越えた場所に、言語の壁を超えて、文化の違いを超えて、こんなにも僕のことを理解してくださる方がいるのだと実感できる喜びは、本当にかけがえのないものです。

そして、この本を書くに至ったきっかけは全部、皆さんが与えてくださったものでした。だから今後も、恩返しになるようにYouTubeを一生懸命続けて、皆さんに素敵な動画を贈り続けたいです。

皆さんは毎日を本当に頑張っています。

だから自分をもっともっと愛してあげてください。

もっともっと大切にしてあげてください。もっともっと労《ねぎら》ってあげてください。

読者の皆様の人生が、この上ないくらいに幸せで満たされることを願っています。

最後までご愛読いただき、本当にありがとうございました。

pike チャンネル

視聴者の皆さんへ

いつも動画を観ていただき、そして本書をご愛読いただき、
本当にありがとうございます。こんなふつつか者の僕がつくった
作品、いや作品なんて呼べるかも分からないくらいのものを
手に取り、目を通していただけたことに、感謝の気持ちでいっぱいです。

実は、この本を書き始めたのは、まだ木々が新緑に染まっていた
“夏”真っ只中の時期でした。若々しく、やる気に満ち溢れて
いた当時は「すぐに完璧な一冊を仕上げてみせるぞ！」と、
意気込んでいたのに、今の僕はカラッカラッに枯れた落ち葉の
ように、みずみずしさを失って、寒い“冬”を迎えてしまいました。

それほどに一応寝る間を惜しんで書いた言葉や文章が
この世を生きる誰かの心を救うことができたなら、寝る間と
引き換えに得られたものは、本当に特別でどのような
言葉にも換えられません。なお、今は絶賛冬眠中です…。

自然の摂理に従い、もうすぐ“春”が来て街が桜色に染まる
ように、皆さんのこの先の人生がより明るく、より美しく
彩られていくことを、遠い場所から、心より願っています。

生きてるだけでありがとう。

pikeチャンネル

スタッフ
ブックデザイン　吉田憲司 (TSUMASAKI)
カバーイラスト　최종민 (@0_00jakup)
撮影　pikeチャンネル
DTP　エヴリ・シンク
校正　鷗来堂
編集　笠原裕貴

pikeチャンネル（ぴけチャンネル）

名古屋大学法学部在学中。「Study with me」やきれいなノートの取り方といった勉強系コンテンツのほか、白を基調としたシンプルで洗練された暮らしぶりをYouTubeで配信し、若い世代を中心に支持される。自身のブランド「White Studio」では使い勝手にこだわったペンケースやノートセットを制作するなど、文具開発も手掛ける。YouTube登録者数は約49万人（2023年2月時点）。

pike《ピケ》式《しき》 シンプルな習慣《しゅうかん》で
頭《あたま》と心《こころ》が「整《ととの》う」勉強法《べんきょうほう》

2023年3月24日　初版発行

著者　pike《ピケ》チャンネル
発行者　山下 直久
発行　株式会社KADOKAWA
〒102-8177　東京都千代田区富士見2-13-3
電話 0570-002-301（ナビダイヤル）
印刷所　株式会社暁印刷

●お問い合わせ
https://www.kadokawa.co.jp/（「お問い合わせ」へお進みください）
※内容によっては、お答えできない場合があります。
※サポートは日本国内のみとさせていただきます。
※Japanese text only
定価はカバーに表示してあります。

ISBN 978-4-04-605854-6 C0095